KB171786

30일 철학공부
프리드리히 니체

30일 철학공부

프리드리히 니체

권영민 지음

30일 철학공부: 프리드리히 니체

발 행 | 2024년 4월 26일
저 자 | 권영민
펴낸이 | 한건희
디자인 | 권영민인문학연구소
펴낸곳 | 주식회사 부크크
출판사등록 | 2014.07.15.(제2014-16호)
주 소 | 서울특별시 금천구 가산디지털1로 119 SK트윈타워 A동 305호
전 화 | 1670-8316
이메일 | info@bookk.co.kr

ISBN | 979-11-410-8276-5

www.bookk.co.kr

서문

《30일 철학공부: 프리드리히 니체》, 이 책은 프리드리히 니체의 30가지 삶의 조언을 중심으로, 하루에 한 장을 읽으면 한 달에 철학자 한 분을 배우도록 기획을 한 책입니다. 중년이라는 특별한 시기에 주목하고자 합니다. 니체의 철학은 어린 시절부터 노년까지, 인생의 각 단계에서 유용한 통찰력을 제공합니다. 특히나 중년에 서 있는 여러분에게는 그가 남긴 말들이 더욱 의미 있는 것으로 느껴질 것입니다. "당신의 길을 가라! 모두가 가야 할 단 하나의 길이란 존재하지 않는다." 이것이 니체의 첫 조언입니다. 중년에 서 있는 여러분은 이미 많은 길을 걸어왔습니다. 그리고 앞으로도 더 많은 선택과 도전이 기다리고 있습니다.

이 책은 여러분이 자신만의 길을 찾아가는 데에 도움을 주기 위해 만들어졌습니다.

중년에는 미래가 뚜렷하게 보이지 않는 시기입니다. 그래서일지도 모르겠습니다. 그러나 니체는 언제나 현재의 순간에 주목하라고 말했습니다. 내일이 보이지 않는 중년에게 주는 프리드리히 니체의 30가지 삶의 조언은 바로 이 현재의 순간을 어떻게 살아갈지에 대한 지혜를 제공합니다.

중년에는 다양한 압박과 책임이 함께 다가옵니다. 가족, 직장, 사회적 요인들이 모여 삶을 복잡하게 만들기도 합니다. 니체의 조언은 이런 현실에 맞서고, 당당하게 자신의 삶을 가는 법을 찾는 데에 도움을 줍니다.

이 책은 과거의 실수에 대한 후회나 미래의 불안에 주저앉지 말고, 현재의 순간을 최대한 경험하고 살아가라는 니체의 철학을 중심으로 펼쳐집니다. 여러분은 자신만의 가치와 목표를 찾아가며, 중년에도 여전히 성장하고 발전할 수 있다는 것을 깨닫게 됩니다.

《30일 철학공부: 프리드리히 니체》, 하루 한 장씩 읽으면서, 여러분은 니체와 함께 당신만의 길을 찾아 나가는 여정에 돌입하게 됩니다. 중년이라는 삶의 단계에서 새로운 통찰력을 발견하고, 당신의 삶에 더 많은 의미를 부여하는 데 도움이 되길 바랍니다. 이제 여러분의 모험을 시작해 봅시다!

2024년 4월 26일

권영민 드림

CONTENT

2부. 자기 실현

3부. 자기 극복

1장

Nietzsche Insight

자기이해

절대로 후회하지 말라

•
•
•

Nietzsche
"결코 후회하지 말라. 후회는 한 가지 어리석음에 또 다른 어리석음을 더하는 것이라고 스스로에게 말하라. 만약 후회할만한 나쁜 일을 저질렀다면 앞으로는 좋은 일을 하겠노라 다짐하라." 《인간적인 너무나도 인간적인 II》

중년은 우리 인생에서 축적된 경험을 바탕으로 한 도전과 가능성을 위한 시기입니다. 그러나 종종 중년에 이르면 아쉬움과 후회의 감정이 생기기도 합니다. 후회는 과거의 선택과 행동에 대한 의문과 자책을 불러일으키지만, 니체는 중년에 후회하지 않아야 한다고 강조합니다.

니체는 본문에서 중년들에게 "결코 후회하지 말라"라고 강조합니다. 후회는 어리석음을 쌓는 일이며, 과거의 실수와 후회에 머물러서는 안 된다고 강조합니다. 그 대신 후회할만한 나쁜 일이 있었다면 앞으로 좋은 일을 하겠다는 다짐을 해야 한다고 말합니다.

중년은 대부분 사람에게 후회와 아쉬움을 떠올리게 하는 시기입니다. 과거에 선택하고 결정한 일에 의심을 품고, 그 결정이 지금 나에게 어떤 영향을 미쳤을지 고민하게 됩니다. 그러나 이러한 후회의 감정은 앞으로 나아가는 가능성을 제한하고, 기회를 놓치게 만듭니다.

니체는 후회하고 자책할 때, 그 자체가 어리석은 행동을 반복하고 있다고 말합니다. 과거를 되돌리거나 변경할 수 없으므로, 후회에 시간과 정신을 낭비하는 것은 무의미한 일입니다. 대신에 과거의 후회와 아쉬움을 극복하고, 앞으로 나아가기 위해 좋은 일을 향해 다짐해야 합니다.

중년은 인생에서 변화와 성장을 위한 기회입니다. 후회와 아쉬운 경험들은 이제껏 축적된 지혜와 배움으로 이어지는 계기가 됩니다. 과거의 후회를 반복하지 않고, 자신의 경험을 토대로 앞으로의 긍정적인 변화와 선택을 할 수 있습니다. 중년에는 자신과 타인에게 용서를 구하고, 새로운 길을 모색하는 자유가 주어집니다.

"후회는 한 가지 어리석음에 또 다른 어리석음을 더하는 것이다"는 니체의 말처럼, 중년에는 후회하지 말아야 합니다. 후회는 과거의 어리석음에 또다른 어리석음을 겹치는 행위일 뿐입니다. 중년은 자신의 경험을 바탕으로 능동적으로 나아가는 유일한 시간입니다.

후회와 아쉬움을 극복하고 앞으로 더 나은 선택과 행동을 향해 다짐함으로써, 우리는 중년을 풍요롭고 의미있는 시기로 만들 수 있습니다. "절대로 후회하지 말라"는 중년의 기회와 가능성을 확장하기 위한 소중한 조언입니다.

Nietzsche Insight

1. 삶의 무한한 가능성을 향한 자유

중년에게 있어서 "절대로 후회하지 말라"는 삶의 무한한 가능성에 대한 자유로움을 상징한다. 후회는 지난 선택에 구애받지 않고, 현재와 미래에 대한 자신만의 선택의 폭을 확장하도록 격려한다.

2. 자기 존중과 긍정적 성찰의 중요성

"후회는 어리석음에 또 다른 어리석음을 더하는 것"이라는 니체의 말은 자기 존중과 긍정적 성찰의 중요성을 강조한다. 중년은 과거의 실수를 후회하는 것이 아니라 그로부터 얻은 깨달음을 통해 성장하고 나아가야 한다는 인식을 얻게 된다.

3. 미래를 위한 새로운 다짐과 희망

중년은 "만약 후회할만한 나쁜 일을 저질렀다면 앞으로는 좋은 일을 하겠노라 다짐하라"는 말에서 미래에 대한 다짐과 희망을 발견한다. 지난 경험을 토대로 나아가기 위해 자신에게 새로운 목표와 다짐을 세우게 되며, 미래에 대한 긍정적인 기대감을 키우게 된다.

옳고 그름은 양립한다

•
•
•

Nietzsche
"모든 가치를 평가함에 있어 문제가 되는 건 특정한 '원근법'이라는 통찰이다. 즉, 개인, 집단, 종족, 국가, 교회, 신앙, 문화의 보존을 말한다. 하나의 원근법적 평가가 있을 뿐이라는 걸 망각하기 때문에 모순된 평가와 모순된 충동이 하나의 인간 내면에서 우글대는 것이다." 《권력의지》

중년은 삶의 여정에서 더 깊고 폭넓은 관점을 획득하게 되는 시기입니다. 니체는 그의 철학에서 "특정한 원근법"에 대한 비판을 제기하며, 옳고 그름의 이분법적 평가가 모순된 충동과 모순된 평가를 내면에서 일으키는 원인으로 지적합니다. 중년은 과거의 경험을 바탕으로 하나의 관점으로 고착하기 쉬운데 니체는 하나의 관점에서 벗어나 모순된 평가를 받아들일 수 있어야 함을 강조합니다.

니체는 가치 평가에서의 문제점을 "특정한 원근법"이라고 명명합니다. 이는 특정한 개인, 집단, 종족, 국가, 교회, 신앙, 문화의 보존을 중요시하고, 이를 기반으로 한 평가 체계를 가리킵니다. 중년에 이르러서는 이러한 특정한 원근법이 갖는 한계를 깨닫게 되며, 다양한 관점과 가치를 이해하고 수용할 수 있는 유연성을 발전시키게 됩니다.

옳고 그름은 이분법적으로 나누어지지 않고, 다양한 시각과 가치를 통해 평가되어야 한다는 니체의 주장은 중년에게 더욱 의미가 깊어집니다. 중년은 이미 다양한 경험을 통해 세상을 볼 수 있는 시야를 갖추었으며, 특정한 원근법에 갇혀있지 않고 다양성을 수용할 수 있는 성숙한 마음가짐을 갖추고 있습니다. 이는 다양한 가치를 이해하고 수용하는 데 있어서 중년의 역할과 중요성을 강조합니다.

니체는 "하나의 원근법적 평가가 있을 뿐이라는 걸 망각하기 때문에 모순된 평가와 모순된 충동이 하나의 인간 내면에서 우글대는 것"은 중년에게 더 큰 의미를 부여합니다. 중년은 과거의 평가 체계와 그에 따른 충동을 돌아보며, 이를 극복하고 새로운 가치 평가를 형성할 수 있는 시기입니다. 중년은 니체가 경고하는 모순된 충동과 모순된 평가를 극복하며, 더 나은 삶의 방향을 찾아가는 과정에서 성장하게 됩니다.

니체의 "옳고 그름은 양립한다"는 중년에게 다양성과 유연성을 갖추라는 깊은 의미를 알려줍니다. 특정한 원근법에 갇혀있는 평가 체계를 극복하고, 다양한 시각과 가치를 수용하며 성장하는 중년의 모습은 삶을 더 풍요롭게 만들어갑니다. 중년은 자신의 경험과 지혜를 토대로 다양한 가치를 이해하고 평가하는 데 있어서 중요한 역할을 수행하며, 이는 더 나은 사회와 미래를 향한 걸음이 됩니다.

Nietzsche Insight

1. 다양성과 풍부성의 중요성

중년에게 있어 "옳고 그름은 양립한다"는 다양성을 인정하고 풍부성을 존중하라는 메시지를 내포한다. 각종 가치와 평가 체계가 서로 다를 수 있음을 이해하고, 그 다양성 속에서 풍부한 경험과 인간관계를 형성하는 것이 중요하다는 인식을 가져야 한다.

2. 상대주의적 사고의 필요성

"원근법적 평가"라는 표현은 상대주의적 사고를 말한다. 중년은 옳고 그름의 개념이 개인, 집단, 문화에 따라 다르다는 인식을 가져야 한다. 상대주의적 사고를 통해 타인의 가치관을 이해하고 수용함으로써 갈등을 최소화하고 협력과 이해를 통한 조화를 찾을 수 있다.

3. 성장과 발전을 위한 유연성

중년은 과거의 고정된 가치관과 평가 체계에 얽매이지 말고 성장과 발전을 위해 유연하게 생각해야 한다. 변화에 대한 두려움보다 새로운 경험과 가치를 수용하며, 자신의 성장을 위한 가능성을 탐험하라는 의미를 지니고 있다.

결핍을 두려워하지 말라

•
•
•

Nietzsche
"질병은 삶을 위한, 더 풍부한 삶을 위한 자극제로 효과적이다. 나는 나 자신을 포함해, 삶을 새롭게 발견했다. 나는 모든 좋은 것, 다른 사람들이 쉽사리 맛볼 수 없을 사소한 것까지 맛봤다. 내 건강에의 의지와 삶에의 의지를 나는 나의 철학으로 만들었다. 제대로 된 인간은 자신에 유익한 것만을 맛있게 느낀다. 그는 해로운 것에 대한 치유책을 알아맞힐 수 있다. 그는 우연한 나쁜 경우들을 자기에게 유용하게 만들 줄 안다." 《이 사람을 보라》

《이 사람을 보라》에서는 질병을 긍정적인 시각에서 바라보고, 이를 통해 더 풍부하고 의미 있는 삶을 찾아나가는 경험을 고백하고 있습니다. 이를 중년을 위한

"결핍을 두려워하지 말라"는 부족함과 도전 속에서도 풍요로운 삶을 찾아가는 과정입니다.

질병은 부족함과 결핍을 암시하는 상황으로 여겨질 수 있지만, 니체는 이를 삶을 향한 자극제로 바라보고 있습니다. 중년에 접어들면서 질병을 통해 자신과 삶을 새롭게 발견했다는 경험이 담겨 있습니다. 이는 결핍이나 부족함을 두려워하지 않고, 오히려 그것을 통해 더 풍부한 경험과 의미 있는 순간을 찾아 나가는 자세를 시사합니다.

니체는 자신을 포함하여 모든 좋은 것과 심지어는 일상에서 놓치기 쉬운 사소한 즐거움까지 맛보았다고 언급합니다. 이는 중년의 시점에서 삶의 다양한 측면을 탐험하고, 결핍이 아닌 풍요로움을 찾아가는 의지와 열정을 나타냅니다. 결핍을 두려워하지 않는 마음가짐은 중년의 삶에서 새로운 가치를 창출하고, 놓치기 쉬운 소소한 즐거움에 주목하는 행복한 삶의 방식을 제시하고 있습니다.

니체는 자기 건강에 대한 의지와 삶에 대한 의지를 자신만의 철학으로 삼았습니다. 이는 결핍이 아닌 풍요로움을 찾아 나가는 중년의 철학을 강조하며, 건강과 삶에 대한 긍정적인 태도를 바탕으로 더 나은 삶을 추구하고 있다는 메시지를 전달합니다. 중년에 이르면서 나 자신을 새롭게 발견하고, 건강과 삶에 대한 의지를 강화하는 것이 결핍을 극복하고 풍요로운 인생을 만들어 나가는 첫걸음임을 보여주고 있습니다.

니체는 해로운 것에 대한 치유책을 알아맞힐 수 있고, 우연한 나쁜 경우들을 자신에게 유용하게 만들 수 있다고 언급합니다. 이는 중년의 삶에서 나타나는 어려움과 도전을 긍정적인 시각에서 바라보고, 그것들을 자신의 성장과 변화에 활용하는 능력을 강조합니다. 결핍과 어려움을 두려워하지 않는 마음가짐은 중년의 삶에서 긍정적인 변화와 성장을 촉진하며, 우연한 나쁜 경우를 자신에게 유용하게 만들 수 있다는 관점을 제시하고 있습니다.

Nietzsche Insight

1. 결핍을 통한 새로운 삶의 발견

"결핍은 두려워하지 말라"의 첫 번째 의미는 질병과 부족함이 새로운 삶의 발견을 위한 기회임을 이해해야 한다. 중년이라는 단계에서는 건강의 변화나 현실적인 제약이 발생할 수 있지만, 이를 긍정적인 자극으로 받아들이고 새로운 가능성을 찾아보는 것이 중요하다.

2. 건강과 삶에 대한 의지의 강화

글에서 언급된 "내 건강에의 의지와 삶에의 의지"는 중년에게 건강을 중시하고, 삶에 대한 의지를 강화하라는 메시지를 전달한다. 결핍과 부족함을 극복하기 위해서는 자신에게 돌아가고 건강을 지키며 내적인 의지를 강화한다.

3. 긍정적인 사고와 자기계발

"제대로 된 인간은 자신에 유익한 것만을 맛있게 느낀다."는 표현은 긍정적인 사고와 자기계발의 중요성을 강조한다. 중년의 시기에 유익한 경험과 학습을 통해 성장하고, 주변의 어려움을 긍정적인 변화로 삼아 나아가는 시기이다.

자제력을 길러라

•
•
•

Nietzsche
"아무것도 하지 말라. 병에 걸리면 결코 반응해서는 안될 때 가장 맹목적으로 반응한다. 본성의 강함은 반응을 기다리는 일에서 나타난다. 무언가를 행하는 것보다 아무것도 행하지 않는 것이 더 유용하다. 은거하는 철학자, 탁발승의 실천은 올바른 가치 척도에 의한 것이다. 어떤 인간은 자신의 행위를 가능한 한 최대로 저지할 때 그 자신에게 가장 유용하다." 《유고(1888)》

인생은 우리에게 다양한 선택과 도전, 경험을 제공하며, 특히 중년에는 그 가치는 더욱더 깊이 감지되기 시작합니다. 니체의 말처럼 "아무것도 하지 말라"는 처음에는 이해하기 어렵게 들릴 수 있지만, 이는 과거의 행동과 현재의 선택에 대한 깊은 고찰을 통해 중년에 안착된 지혜를 찾으라는 조언으로 해석될 수 있습니다.

중년에 이르러서는 무언가를 행하는 것보다는 종종 아무것도 하지 않는 것이 더 큰 힘을 지닐 수 있습니다. 병에 걸린다면 결코 반응해서는 안되는 때, 맹목적으로 반응하는 것은 자신을 위험에 빠뜨릴 수 있습니다. 이는 중년의 삶에서도 적용되는 원칙으로, 어떤 결정이나 행동할 때에는 신중한 고민과 깊이 있는 판단이 필요하다는 것을 의미합니다.

니체가 언급한 "은거하는 철학자, 탁발승의 실천은 올바른 가치 척도에 의한 것이다."라는 말은 중년에 더욱 중요한 의미를 가집니다. 은거하는 자세는 지금까지의 경험을 바탕으로 자신의 가치관을 세우고, 그에 따라 실천하는 것입니다. 중년에는 지나온 세월 동안의 경험을 통해 얻은 지혜를 살펴보고, 그것을 바탕으로 한 실천이 미래의 행복과 만족을 찾는 길일 것입니다.

또한, 어떤 인간은 자신의 행위를 최대한 자제할 때 그 자신에게 가장 유용하다는 니체의 주장은 중년의 사람들에게 큰 용기를 부여합니다. 과거의 실수나 실패는 후회의 대상이 될 수 있지만, 이를 통해 얻은 교훈은 더 나은 선택하는 기회로 다가옵니다. 중년에 후회하지 않기 위해서는 지난 경험을 부정하지 않고, 오히려 그것을 삶의 풍요로운 자산으로 받아들이는 마음가짐이 중요합니다.

"아무것도 하지 말라"라는 니체의 철학은 중년에 삶을 돌아볼 때 특히 중요한 의미를 갖습니다. 후회하지 말라는 것은 과거의 선택에 대한 후회가 아니라, 그것을 통해 얻은 지혜를 향한 감사와 미래에 대한 자신감을 의미합니다. 중년에는 무언가를 행하는 것보다는 현재의 순간을 살아가며, 지혜를 쌓고 존중하는 것이 더 큰 행복과 만족을 가져다 줍니다. "은거하는 철학자"가 되어 지난 시간을 존중하고, 그것을 바탕으로 새로운 삶의 장을 열어가는 중년의 삶은 더욱 풍성하고 의미가 있습니다.

Nietzsche Insight

1. 내면의 안정과 평온을 추구한다

니체는 "아무것도 하지 말라"는 중년에게 자제력을 길러야 하는 이유 중 하나로 내면의 안정과 평온을 추구하라고 조언한다. 중년은 어떠한 상황에서도 너무 감정적으로 반응하지 않고 자신을 통제하는 능력을 키워야 한다.

2. 정신적인 강함과 삶의 방향을 찾는다

"본성의 강함은 반응을 기다리는 일에서 나타난다"는 중년에게 정신적인 강함을 키워야 한다는 메시지를 전한다. 자제력은 삶의 방향을 찾고, 미래를 위한 계획을 세우며 내적 목표를 달성하는 데 도움을 준다.

3. 올바른 가치 척도를 기반으로 한 행동

"은거하는 철학자, 탁발승의 실천은 올바른 가치 척도에 의한 것"이라는 주장은 중년에게 자신의 행동을 근거 있는 가치 척도에 따라 결정하도록 조언한다. 중년은 자기 자신에게 유익한 행동을 판단하고 추구함으로써 긍정적인 방향으로 전진할 수 있다.

고독은 뛰어난 사람의 운명이다

Nietzsche
"나는 나 자신을 기다려야 한다. 나의 자아의 샘으로부터 물이 나올 때까지는 시간이 걸린다. 그리고 내가 인내할 수 있는 것보다 더 오랜 시간 갈증을 참아야 한다. 그래서 나는 고독으로 들어간다. (…) 그러면 시간이 흐른 뒤 사람들이 나를 나 자신으로부터 추방하고 나에게서 영혼을 빼앗으려고 한다. 그래서 나는 모든 사람들에 대해 악의를 품으며 모든 사람을 두려워한다. 그때 내가 다시 잘 성장하기 위해서는 사막이 필요하다."《아침놀》

니체는 고독을 "나 자신을 기다려야 한다"는 말로 설명합니다. 고독은 우리가 일상적으로 혼자만 있다는 것과는 조금 다른 의미를 갖습니다. 고독은 자기 자신과 마주하고, 내적인 성장을 위한 시간과 공간을 제공합니다. 니체는 그의 글에서 이야기하는 것처럼, 우리는 자아의 샘으로부터 물이 나오기 위해 기다릴 필요가 있다고 말합니다. 이는 곧 고독한 시간이 필요하다는 의미입니다. 우리는 고독 속에서 내재적인 욕구와 열망을 발견하고, 그것이 우리의 삶과 목표에 어떤 역할을 하는지를 깨닫게 됩니다.

그러나 고독은 쉬운 것이 아닙니다. 어떤 경우에는 시간이 걸리기도 하고, 주변 사람들과 다른 삶을 살게 되는 경우도 있습니다. 이는 인내력이 필요하다는 것을 의미합니다. 우리는 자아실현을 위해 인내심을 키우고, 대기하는 기술을 익혀야 합니다. 이는 그 동안 열매를 맺지 않은 나무가 열매를 품게 될 때까지 기다리는 것과 유사합니다. 우리가 원하는 것이 오랜 시간을 거치며 이루어질 수도 있다는 것을 인지하며, 그에 따른 끈기와 인내력을 갖춰야 합니다.

고독 속에서 우리는 다른 사람들과 다른 길을 가기도 합니다. 이는 결코 쉽지 않은 과정입니다. 다른 사람들은 우리와 같은 길을 걸어가고, 같은 생각을 가지지 않을 수 있습니다. 그러나 이는 우리가 개인적인 성장을 위해 가야 할 길입니다. 우리는 자아의 샘으로부터 영감을 받고, 우리만의 생각과 믿음을 추구해야 합니다. 이를테면, 니체는 글에서 말하듯이, 우리가 사막이 필요합니다. 사막은 단순히 고독한 장소가 아니라, 우리의 성장을 위한 환경입니다. 사막에서 우리는 바람에 맞서고, 땅과 하늘과의 연결을 느낄 수 있습니다. 이는 우리가 고독한 시간을 가지고, 내면의 성장과 함께 존재하기 위한 필수적인 과정입니다. 우리가 고독 속에 있는 동안에는 다른 사람들로부터 영감을 받거나 지지를 기대할 수 없습니다. 우리가 자아의 샘에서 물을 얻기 위해서는 스스로 의지해야 하며, 끈기를 가지고 발전해 나가야 합니다.

결국, 고독은 뛰어난 사람의 운명입니다. 우리는 고독 속에서 자아실현을 위한 시간과 공간을 확보해야 합니다. 이를 위해서는 인내심과 끈기가 필요하고, 다른 사람들과 다른 길을 걸어야 합니다. 우리는 사막과 같은 환경에서 열매를 맺을 수 있는 독립적인 존재로 거듭나기 위해, 고독 속에서 자신을 찾아 나서야 합니다. 이는 고독이 우리의 운명임을 알려줍니다. 뛰어난 사람이 되기 위해서는 우리는 고독을 받아들여야 합니다.

Nietzsche Insight

1. 내면의 성장과 풍요로운 영혼을 찾는다

중년에게 고독은 나 자신과의 대화를 통해 내면의 성장과 풍요로운 영혼을 찾기 위한 필수적인 요소로 인식된다. 고독을 통해 나 자신과 조화를 이루며 내면의 존재에 대한 깊은 이해를 도모할 수 있다.

2. 다른 사람들의 영향에서 벗어난다

"많은 사람들 틈에서 그 사람들처럼 살고, 내 식으로 생각하지 않는다."는 중년에게 다른 사람들의 영향에서 벗어나 자신만의 독립적인 삶을 살아가야 한다. 자기 정체성을 유지하고 싶다면 때로는 고독을 택할 필요가 있다.

3. 어려움을 극복하며 성장한다

"사람들이 나를 나 자신으로부터 추방하고 나에게서 영혼을 빼앗으려고 한다."는 어려움과 도전에 직면할 때, 고독을 통해 내면의 강함을 발견하고 성장하는 기회가 있다는 것을 중년에게 알려준다.

인생 끝까지 변화하라

•
•
•

Nietzsche
"정신은 어떻게 낙타가 되고, 낙타는 어떻게 사자가 되며, 사자는 어떻게 마침내 어린아이가 되는가. 정신에게는 참고 견뎌야 할 무거운 짐이 허다 하게 많다. 이 정신은 낙타처럼 자신의 사막으로 서둘러 달려간다. 그곳에서 사자로 변한 낙타는 새로운 창조를 위한 자유를 쟁취하고, 어린아이로 변신해 기어이 새로운 가치를 창조해낸다. 어린아이는 순진무구하고 새로운 시작과 놀이, 스스로의 힘에 의해 돌아가는 바퀴다." 《차라투스트라는 이렇게 말했다》

"정신은 어떻게 낙타가 되고, 낙타는 어떻게 사자가 되며, 사자는 어떻게 마침내 어린아이가 되는가." 니체는 이와 같은 말을 통해 인간의 삶은 변화와 자아의 성장으로 가득 차 있다고 얘기합니다. 특히 중년은 이러한 변화와 성장을 위한 중요한 시기입니다. 중년을 위해 "인생 끝까지 변화하라"는 중년이 진정한 새로운 시작을 향해 여행을 떠나는 방법을 탐구해야 합니다.

낙타에서 사자로 변화하기

중년은 과거의 경험과 역할에서 벗어나 새로운 아이덴티티를 탐색하는 시기입니다. 낙타로서의 우리는 주어진 역할을 충실히 수행했지만, 이제는 그 안에서 벗어나 변화의 기회를 찾아야 합니다. 이 변화 과정은 불안과 자기 탐색을 동반하며, 우리를 사자로 변화시킵니다.

사자에서 어린아이로 변화하기

중년에서 사자는 새로운 창조와 자유를 탐구하는 과정을 의미합니다. 우리는 이제까지의 관념과 틀을 깨고, 자신만의 가치와 의미를 찾기 위해 노력해야 합니다. 이때, 우리는 놀이와 순진한 마음을 통해 어린아이로 변화할 수 있습니다. 어린아이의 순수한 시선으로 세상을 바라보면서 새로운 시작을 할 수 있습니다.

인생 끝까지 변화하기

중년을 지나 인생의 끝을 향해 나아갈 때, 변화와 성장은 계속되어야 합니다. 변화를 통해 우리는 자신의 잠재력을 실현하고, 가치 있는 삶을 만들어갈 수 있습니다. 또한, 변화는 일상의 한계를 뛰어넘어 새로운 경험과 도전을 만들어 냅니다. 인생의 끝까지 변화하는 용기와 열정을 가지고 끊임없이 성장하며 새로운 시작을 찾아나가야 합니다.

중년은 과거의 역할이 끝난 뒤 새로운 시작을 위한 여정입니다. 낙타에서 사자로, 사자에서 어린아이로 변화하기 위해서는 과거의 틀과 관념을 깨고 자아의 탐색과 인내를 거쳐야 합니다. 중년의 변화와 성장은 삶의 끝까지 이어져야 합니다. 변화하는 끝없는 여정에서 우리는 새로운 시작과 놀이, 끊임없는 성장을 위한 기어이 돌아가는 바퀴가 되어야 합니다. 중년은 인생 끝까지 변화와 성장을 위한 자유로운 여정이며, 우리는 새로운 가치를 창조해내기 위해 변화해야 합니다.

Nietzsche Insight

1. 지속적인 성장과 발전을 통한 풍요로운 삶

중년에게 인생 끝까지 변화해야 하는 이유 중 하나는 지속적인 성장과 발전을 통해 풍요로운 삶을 창조하는 것이다. 낙타에서 사자, 사자에서 어린아이로의 변화는 인생의 단계에서 새로운 경험과 가치를 찾고 받아들인다.

2. 자유와 창조적인 에너지의 발현을 위한 변화

니체가 언급한 낙타가 사자로, 시자가 어린아이로 변하는 과정은 자유와 창조적인 에너지의 발현을 위한 변화를 의미한다. 중년은 일상의 굴레에서 벗어나 새로운 도전과 창조의 여정을 통해 자유로움을 경험하고 내면의 창조적인 에너지를 발현해야 한다.

3. 놀이와 순수성을 통한 긍정적인 변화의 추구

어린아이로의 변화는 놀이와 순수성을 강조하며, 중년에게 인생을 긍정적으로 변화시키기 위해서는 일상에 놀이와 순수성을 유지하며 새로운 가능성을 탐험하는 중요성을 알려준다. 변화를 통해 새로움을 찾고 놀이를 통해 삶에 즐거움을 더해야 한다.

삶, 그 자체를 사랑하라

•
•
•

Nietzsche
"나는 사물을 아름답게 하는 사람 중 한 명이 되고 싶다. 이것은 '운명애(Amor fati)!' 나는 추한 것과 전쟁하고 싶지 않다. 나는 비난하지 않겠다. 나를 비난하는 사람조차도 비난하지 않겠다. 그런 것들에게서 시선을 돌리는 것이 내가 유일하게 부정하는 것이 될 것이다. 궁극적으로 나는 긍정하는 사람 그 이상은 되지 않을 것이다." 《즐거운 학문》

니체는 "나는 사물을 아름답게 하는 사람 중 한 명이 되고 싶다."라고 말했습니다. 이 말은 사람이 삶 속에서 아름다움을 찾고, 그것을 선명하게 느끼는 사람이 되기를 원하는 진심을 담고 있습니다. 그리고 이를 통해 '운명애(Amor fati)'라는 개념을 언급했습니다. 운명애란 우리의 운명을 사랑하고 수용하는 모습을 말하는데, 우리의 삶을 통해 우리 자신과 세상의 아름다움을 인식하고 다양한 경험을 긍정적으로 받아들이는 자세입니다.

중년에 이러한 운명애를 갖는 것은 무엇보다 중요합니다. 중년은 어릴 때와는 다른 많은 변화와 도전을 맞이하는 시기로, 자신의 목표와 꿈을 재고하며 삶을 평가하게 되는 시기입니다. 그래서 중년에은 자신의 삶을 사랑하고 다시 발진시킬 수 있는 열정과 에너지를 발견하는 것이 중요합니다.

"추한 것과 전쟁하고 싶지 않다."는 니체의 말이 인상적입니다. 중년에 자신을 비난하거나 그 충격으로 도망칠 필요가 없다는 것을 깨닫는 것은 중요합니다. 이 시기에 자신의 결점과 실패를 받아들이고, 다른 이들의 비난에 대한 시선에 신경 쓰지 않는 자세를 갖는 것이 매우 중요합니다. 중년은 자신의 가치와 업적을 되돌아보는 시기이기에, 비난과 부정적인 평가에 매몰되는 것은 그 어떤 긍정적인 변화도 이루어지지 않습니다.

"나는 나를 비난하는 사람을 비난하지 않겠다."는 니체의 말 또한 동감합니다. 중년에 도달했을 때 우리는 자기 비난에 시간을 낭비하는 것이 아니라, 자신을 이해하고 용서하며 성장하는 기회로 삼아야 합니다. 그렇지만 더 나아가서 다른 이들에게 비난을 퍼붓는 것은 그 어떤 이득도 가져오지 않습니다. 오히려 우리는 자신의 삶을 전적으로 긍정하고 그 속에서 창조성과 성취를 추구해야 합니다.

이러한 자세와 인식을 바탕으로 중년에는 우리는 자신이 긍정하는 사람이 되어야 합니다. 우리는 삶의 경험을 통해 습득한 지혜와 자신의 역량을 발휘하여 더 나은 방향으로 나아갈 수 있습니다. 중년에 이를 위한 열정과 도전정신을 발견하는 것이 우리의 삶을 보다 풍요롭게 만들어줍니다.

결국, "삶, 그 자체를 사랑하라"는 중년에 우리는 자신의 삶과 세상의 아름다움을 긍정적으로 받아들이며, 자신을 사랑하고 존중하는 사람이 되어야 합니다. 그리고 그것이 우리의 삶을 가장 풍요롭고 의미있게 만들어 주게 됩니다.

Nietzsche Insight

1. 삶의 아름다움을 발견하기

중년은 지난 세월 동안 쌓인 경험과 지혜를 통해 세상을 더 깊게 이해할 수 있는 시기다. 이를 통해 삶의 다양한 측면에서 아름다움을 발견하고, 그것을 존중하며 사랑하는 마음가짐은 중년의 풍요로운 삶을 만들어간다.

2. 운명애와 긍정적 마인드

니체의 '운명애'는 우연한 일들에 대한 긍정적인 마음가짐을 의미한다. 중년에 서면 삶은 예상치 못한 도전과 상황들로 가득하다. 이러한 상황을 긍정적인 시각에서 바라보고, 삶의 흐름을 수용하는 데에 중점을 두면, 그 결과로서 내적 평온과 안정을 찾을 수 있다.

3. 타인의 비난과 시선에 대한 해방

중년에는 다양한 관점과 편견, 비판에 직면할 수 있다. 그러나 나 자신에게 집중하고, 타인의 평가에 휘둘리지 않는 자세는 내적 안정과 자기수용에 큰 역할을 한다. 중년에 와서야 더 이상은 다른 이들의 시선에 구애받지 않아야 한다.

온전한 인간으로 성장하라

•
•
•

Nietzsche
"나는 너희들에게 위버멘쉬(초인)를 가르치노라 사람은 극복되어야 할 그 무엇이다." 《차라투스트라는 이렇게 말했다》

니체의 '위버멘쉬(초인, 超人)'라는 개념은 우리가 극복해야 할 도전과 어려움을 의미합니다. 중년에 이르러서, 우리는 자아를 극복하고 더 나은 버전의 자신으로 성장하는 과정에 진입합니다. 이는 인간이라는 존재가 마주하는 여러 고난과 고뇌를 극복하여 온전하고 원만한 삶을 이루기 위한 과정을 의미합니다.

중년은 자아에 대한 깊은 깨달음과 심화된 이해가 시작되는 시기입니다. 니체가 말하는 위버멘쉬(초인)를 가르치는 것은 자아를 극복하고 초월하는 과정을 의미합니다. 중년에 이르면서, 자신의 한계와 부족함에 대한 인식이 성숙해지면서, 그것을 극복하고 성장하는 노력이 필요합니다. 이러한 노력과 극복의 과정이 온전하고 원만한 인간으로 성장하는 발판이 됩니다.

"사람은 극복되어야 할 그 무엇이다."라는 니체의 말은 삶에서 마주하는 도전과 어려움에 대한 강조입니다. 중년은 무엇보다 삶의 복잡성과 어려움에 직면하는 시기입니다. 이러한 도전을 극복하고 성취해 나가는 과정이 중년의 온전성과 원만함을 찾아가는 길입니다. 어려움을 피하지 않고, 오히려 이를 마주하고 극복하면서 내면의 강함과 성숙함을 발전할 수 있습니다.

중년에는 주변 환경과의 관계에서도 성장과 극복이 중요합니다. 위버멘쉬(초인)로서의 성장은 타인과의 소통과 이해를 통해 더 나은 인간관계를 형성하는 것을 의미합니다. 중년은 자기 자신을 이해하고 받아들이면서 동시에 타인의 고난과 기쁨을 공감하고 이해하는 능력이 높아집니다. 이러한 관계에서 성장은 온전하고 원만한 삶을 향한 핵심적인 요소가 됩니다.

니체의 위버멘쉬(초인)는 중년에게 자아의 극복과 성장, 도전과 어려움에 대한 대처, 그리고 타인과의 관계에서의 성장이 중요하다는 삶의 지혜를 담고 있습니다. 중년은 어려움과 도전이 많은 시기일지라도, 이를 극복하고 성장하는 과정을 통해 온전하고 원만한 삶을 찾아가는 중요한 시기로 여겨집니다. 온전함은 자아의 극복과 도전에 담긴 의미를 이해하고, 그것을 통해 성장하는 과정에서 찾아집니다.

Nietzsche Insight

1. 자아의 깊이와 통합

중년은 자아에 대한 깊이 있는 통합을 추구하는 시기이다. 중년에 도달하면서 지난 세월 동안의 경험과 실존적인 고민을 바탕으로 자신의 모습을 다시 살펴보고, 이를 통해 깊이 있는 통합을 이루어 나가는 것이 온전한 삶을 찾아가는 첫걸음이다.

2. 도전과 어려움에 대한 성숙한 대처

중년은 삶에서의 도전과 어려움에 대한 성숙한 대처가 필요한 시기이다. 중년에 있어서 이러한 도전을 두려워하지 않고, 오히려 이를 통해 성숙한 대처와 성장의 기회로 삼는 것이 중요하다.

3. 타인과의 깊은 연결과 이해

온전하고 원만한 삶을 찾아가는 과정에서 타인과의 관계가 큰 역할을 한다. 중년에 도달하면서, 지난 세월 동안의 관계에서 얻은 지혜를 통해 타인과 깊은 연결과 이해를 구축하는 것이 중요하다.

내일을 향해 발걸음을 옮겨라

Nietzsche
"누구나 자기 미래의 꿈에 계속 또 다른 꿈을 더해나가는 적극적인 삶을 살아야 한다. 현재의 작은 성취에 만족하거나 소소한 난관에 봉착할 때마다 다음에 이어질지 모를 장벽을 걱정하며 미래를 향한 발걸음을 멈춰서는 안 된다." 《차라투스트라는 이렇게 말했다》

우리는 삶의 여정에서 자기 미래의 꿈을 쫓아가며, 그 속에 끊임없는 새로운 꿈을 더해 나가야 합니다. 니체의 말처럼, 현재의 작은 성취에 만족하지 말고, 소소한 난관에 부딪힐 때마다 두려움에 휩싸이지 말고, 오히려 더 큰 꿈을 향해 나아가야 합니다.

삶은 변화와 불확실성의 연속입니다. 중년이 되면서 우

리는 이미 어떤 꿈을 이루었을 수 있지만, 그것이 마지막이 아니라 새로운 꿈을 추가하는 시작일 뿐입니다. 꿈은 성장과 발전을 위해 끝없이 이어져야 합니다. 현재의 성취에 만족하기는 좋지만, 그것이 우리의 꿈의 끝이라고 여기면 안 됩니다. 중년이 되어도 여전히 새로운 목표와 꿈을 향해 나아가야 합니다.

작은 성취에 안주하거나 난관에 부딪혔을 때, 우리는 두려움에 사로잡히기 쉽습니다. 다음에 이어질지 모를 장벽에 대한 걱정이 발걸음을 머무르게 만들 수 있습니다. 그러나 이런 순간에야말로 더 큰 꿈을 향한 도전의 기회를 찾을 수 있습니다. 중년에도 새로운 꿈을 꾸고, 그 꿈을 향해 나아가기 위해 우리는 편견과 두려움을 떨쳐내야 합니다. 불확실성이란 새로운 가능성을 의미하며, 그 가능성을 향해 나아가는 모험은 우리를 더 풍요로운 삶으로 이끌어 갑니다.

"누구나 자기 미래의 꿈에 계속 또 다른 꿈을 더해나가는 적극적인 삶을 살아야 한다." 미래를 향한 발걸음을 멈추지 말라는 것은 우리에게 끊임없는 성장의 기회를 제공합니다. 중년은 삶에서 새로운 지혜를 터득하고, 지난 경험을 토대로 더 나은 미래를 꿈꾸는 시기입니다. 이때 우리는 자기계발과 자아실현을 위한 노력을 게을리하지 말아야 합니다. 내일을 향한 발걸음은 우리가 꾸는 꿈들의 실현을 위한 첫 걸음이자, 더 큰 성공과 만족을 향한 시작입니다.

니체의 말처럼, 우리는 미래의 꿈에 적극적으로 다가가야 합니다. 그 꿈은 우리를 더 나은 사람으로 만들고, 삶에 더 많은 의미를 부여해야 합니다. 중년이라 해서 꿈을 향한 열망이나 도전이 멈추는 것이 아니라, 오히려 그 꿈을 키우고 향상시키는 시간이 되어야 합니다. 내일을 향한 발걸음은 우리가 계속해서 성장하고 새로운 가능성을 찾아가는 여정의 일부로 남아 있게 됩니다.

Nietzsche Insight

1. 지속적인 성장과 발전

"내일을 향한 발걸음을 멈추지 말라"는 중년에게 지속적인 성장과 발전의 중요성을 강조한다. 누구나 자기 미래의 꿈을 향해 계속해서 노력하고 발전해 나가야 하는데, 이는 인생의 다음 단계를 기대하며 나아가는 긍정적인 태도를 의미한다.

2. 작은 성취에 만족하지 않기

니체는 현재의 작은 성취에 만족하지 말고 계속해서 새로운 목표를 세우고 이루어 나가라는 조언을 한다. 중년은 삶의 다양한 영역에서 성공을 경험하더라도 더 나은 미래를 위해 계속해서 노력해야 한다.

3. 미래에 대한 두려움을 극복하기

미래에 대한 두려움이나 불안감에 막혀서는 안 된다는 주제도 중요하다. 미래에 대한 불확실성에 대해 걱정하지 말고 새로운 도전에 기꺼이 나서서 문제를 극복하며 성장하는 모습이 중년에게 중요한 가치이다.

위험하게 살기

•
•
•

Nietzsche
"믿어보자. 가장 위대한 풍요와 가장 큰 즐거움을 끌어낼 수 있는 비법은 바로 '위험하게 살기'이다. 당신의 도시를 베수비오 화산 위에 건설하라. 당신의 배를 아직 탐험하지 않은 바다로 출항시켜라. 당신 자신과 투쟁하라." 《즐거운 학문》

중년은 안전하고 안정적인 시기로 생각하곤 합니다. 가족과의 안정된 관계, 경력의 안정성, 재정상의 안정 등 여러 가지가 안정성과 관련되어 있습니다만 중년에 있어서도 "위험하게 살기"라는 관점은 새로운 도전의 기회 제공할 수 있습니다.

중년은 이미 많은 경험과 지식을 갖추고 있습니다. 그러나 이를 토대로 새로운 도전을 시도하지 않고 머무르는 것은 성장의 기회를 놓치게 됩니다. 알베르트 아인슈타인은 "인생은 마치 자전거를 타는 것과 같다. 균형을 유지하기 위해서는 움직여야 한다."라고 말했습니다. 중년에 여전히 움직이고 도전하는 것은 우리에게 새로운 경험과 성장의 기회를 제공합니다.

이를 위해서는 우리가 안전한 영역에서 벗어나야 합니다. 니체는 "당신의 도시를 베수비오 화산 위에 건설하라. 당신의 배를 아직 탐험하지 않은 바다로 출항시켜라. 당신 자신과 투쟁하라."라고 말했습니다. 중년에 위험을 감수하는 것은 우리의 내면적인 투쟁, 성장의 도전과 연결되어 있습니다.

이러한 성장과 도전을 위해 우리는 희망과 용기를 가져야 합니다. 피터 드러커는 "우리는 항상 선택을 할 수 있지만, 후회는 선택의 결과에 따라 오직 하나만 가능하다."고 말했습니다. 중년에 우리는 안전한 선택만을 따르는 것이 아닌, 내면적인 욕망과 목표를 위해 위험을 감수하는 선택을 할 필요가 있습니다. 그 선택을 통해 우리는 경험과 성장을 얻을 수 있으며 후회 없는 삶을 살아갈 수 있습니다.

이러한 위험과 도전은 비록 어려울 수 있지만 중년에 살아나는 용기와 의지로 이뤄집니다. 중년에 있어서도 안전한 틀을 벗어나 위험을 감수하며 삶을 살아갈 것인지, 안전한 일상에 안주하며 후회하는 인생을 살 것인지 선택해야 합니다.

소크라테스는 "비극적이지 않은 삶은 살 가치가 없다."고 했습니다. 중년에 있어서도 우리는 비극적인 삶을 선택하고 위태롭게 살아갈 가치가 있음을 명심해야 합니다. 우리 중년에게도 위험과 도전은 성공과 더불어 함께 합니다.

Nietzsche Insight

1. 삶의 모험과 풍요로움을 찾기 위한 용기

중년에 들어서면서 안정과 예측 가능한 삶에 안주하기 쉽지만, 니체는 '위험하게 살기'를 통해 삶의 모험과 풍요로움을 찾는 용기를 강조한다. 위험을 감수하고 새로운 경험을 향해 나아가는 것은 중년에도 여전히 삶을 더욱 풍부하고 의미 있게 만들어 나가는 길이 된다.

2. 자기 자신과의 성장과 도전

위험은 종종 자신과의 투쟁과 성장을 동반한다. 중년에 도달하면서 과거의 선택과 행동에 대한 반성이 시작된다. 이러한 과정에서 나아가지 않으면 느끼지 못하는 새로운 도전과 투쟁을 통해 자기 자신을 발견하고 성장한다.

3. 새로운 가능성과 열린 마음

위험은 새로운 가능성과 발견을 열어준다. 중년에 있어서도 과감히 삶의 변화를 받아들이고, 예전에는 경험하지 못했던 도전에 도전함으로써, 새로운 지식과 경험을 얻게 된다. 위험을 통해 열린 마음을 유지하면, 중년은 여전히 새로운 성취와 즐거움을 찾아가는 기회가 된다.

2장

Nietzsche Insight

자 기 실 현

오늘을 더 기쁘게 살라

•
•
•

Nietzsche
"작은 일에도 최대한 기뻐하라. 기뻐하면 마음을 어지럽히는 잡념을 잊을 수 있고, 타인에 대한 혐오감이나 증오심도 옅어진다. 부끄러워하거나 참지 말고 마음이 이끄는 대로 마치 어린아이들처럼 싱글벙글 웃어라." 《차라투스트라는 이렇게 말했다》

니체는 "작은 일에도 최대한 기뻐하라. 기뻐하면 마음을 어지럽히는 잡념을 잊을 수 있고, 타인에 대한 혐오감이나 증오심도 옅어진다. 부끄러워하거나 참지 말고 마음이 이끄는 대로 마치 어린아이들처럼 싱글벙글 웃어라."라고 말하며, 중년은 "오늘을 더 기쁘게 살라"라고 조언합니다. 중년은 각종 압력과 스트레스가 증가하는 시기일 수 있습니다. 가족, 직장, 경제, 건강 등 다양한 책임과 고민이 많아지면서 일상적인 작은 기쁨을 잊기 쉬울 수 있습니다.

니체의 말에 따르면 작은 일에도 최대한 기뻐해야 합니다. 작은 기쁨을 놓치지 않고 받아들이는 것은 중년기에 매우 중요합니다. 중년이 되면 각종 압력이 증가하고, 스트레스를 느끼는 일이 많아집니다. 하지만 작은 일에도 기뻐하며 마음의 허무함과 잡념을 잊게 되면, 마음의 압박을 해소할 수 있습니다. 작은 기쁨을 찾아야 하기에 중요한 것은 주변 환경이나 상황에 좌우되지 않고, 마음이 이끄는 대로 싱글벙글 웃게 됩니다.

자책이나 불만, 자의식 과잉으로 인해 중년에 부끄러움을 느낍니다. 그러나 니체는 이러한 부끄러움이나 참는 것보다는 마음이 이끄는 대로 웃어야 한다고 강조합니다. 어린아이들처럼 순수한 웃음으로 현재의 순간을 즐기는 태도가 필요합니다. 중년에 우리는 삶을 더 풍요롭게 만들어 가야 합니다. 작은 일에도 최대한 기뻐함으로써 마음을 어지럽히는 잡념을 잊을 수 있으며, 부끄러움이나 참음보다는 자연스러운 웃음으로 순간을 즐기는 태도가 필요합니다.

"오늘을 더 기쁘게 살라"는 작은 일에도 최대한 기뻐함으로써 마음의 허무함과 잡념을 잊을 수 있고, 부끄러움이나 참고 있지 않고 마음이 이끄는 대로 웃음으로 즐기는 태도의 중요성을 강조합니다. 중년에는 스트레스와 외부 압력이 많지만, 작은 기쁨을 찾아 삶을 풍요롭게 만들어 나가는 방법을 터득해야 합니다. 마음의 자유와 순수함을 유지하며 어린 아이처럼 즐기는 태도를 갖는 것이 중요합니다. 중년은 기쁨을 찾고 행복을 추구하는 데에 있어서 새로운 시작이 됩니다.

Nietzsche Insight

1. 심리적 안녕과 스트레스 감소

중년에 이르면 삶은 다양한 압력과 스트레스에 직면할 수 있다. 하지만 작은 일에 기뻐하고 긍정적인 태도를 취함으로써 마음을 안정시키고 심리적 안녕을 찾을 수 있다. 삶의 어려움에 대한 긍정적인 관점을 유지하게 한다.

2. 인간관계 강화와 통찰력 향상

기쁨을 찾고 표현하는 것은 타인과의 관계를 강화하는 데 도움이 된다. 긍정적인 에너지를 전파하면 주변 사람들과의 소통이 원활해지며, 적극적인 태도는 상호 간에 긍정적인 영향을 미칠 수 있다. 또한, 작은 기쁨을 주의 깊게 체험함으로써 통찰력을 올려준다.

3. 건강과 행복의 촉진

기쁨을 느끼고 웃으면 신체적 건강에도 긍정적인 영향을 미치며, 스트레스 감소와 긍정적인 마음가짐은 면역 시스템 강화와 스트레스 관리에 도움이 된다. 따라서 중년에는 오늘을 더 기쁘게 살아가는 것이 신체적, 정신적 건강을 유지하고 행복한 삶을 즐길 수 있는 중요한 방법이다.

망각은 행복의 지름길이다

•
•
•

Nietzsche
"망각이란 천박한 자들이 믿는 것처럼 단순한 타성이 아니다. 오히려 이것은 일종의 능동적인, 엄밀한 의미에서 적극적인 저지 능력이다. 의식의 문과 창들을 잠시 닫는 것, 소음과 싸움에서 방해받지 않고 있는 것, 약간의 고요함과 의식의 백지상태(tabula rasa), 이것이야말로 능동적인 망각의 훌륭한 점이다. 망각이 없다면 행복이나 명랑함, 희망, 자부심, 심지어 현재도 있을 수 없다." 《도덕의 계보》

니체는 망각이 단순한 타성이 아닌, 능동적이며 엄밀한 의미에서 적극적인 저지 능력으로 작용한다고 봅니다. 그는 의식의 문과 창들을 잠시 닫음으로써 고요함과 의식의 백지상태를 창출하며, 이것이 행복과 명랑함, 희망, 자부심의 발전을 가능케 한다고 설명합니다.

망각은 중년에 있어서도 중요한 역할을 하는데, 이는 과거의 부담과 기억에 얽매이지 않고 현재를 더욱 자유롭게 살아갈 수 있게 해줍니다. 니체는 망각을 능동적이고 적극적인 저지 능력으로 설명하며, 과거의 소음과 싸움에서 해방되어 현재의 고요함을 향해 나아가는 기회로 바라보고 있습니다. 중년에 있어서는 특히 과거의 실수나 상처로부터 벗어나 행복과 평안을 추구하는 데에 망각이 필수적인 지름길이 됩니다.

망각은 의식의 문과 창들을 닫음으로써 고요함과 의식의 백지상태를 창출하는데 도움이 됩니다. 중년에 이르면서 더 많은 경험을 쌓고, 그에 따른 기억의 양도 늘어나게 되는데, 이러한 무수한 기억으로부터 벗어나 망각을 통해 고요한 상태를 창출함으로써, 중년은 새로운 아이디어와 경험을 받아들일 수 있는 여유와 열린 마음을 얻게 됩니다.

니체에 따르면 망각이 없다면 행복, 명랑함, 희망, 자부심은 불가능하다고 주장합니다. 과거의 짐과 기억에 휩싸여 있을 때, 중년은 현재의 가능성을 놓칠 수 있습니다.

망각을 통해 과거의 무거운 짐을 내려놓고, 현재를 즐기며 행복과 자부심을 찾는 것은 중년에 있어서 능동적인 삶을 추구하는 데에 있어서 핵심적인 지름길이 됩니다.

중년에 있어서 망각은 행복의 지름길입니다. 과거의 기억들로 인해 가로막힌 길을 열어주고, 현재의 고요함과 새로운 경험을 통해 능동적이고 평화로운 삶을 살 수 있도록 돕습니다. 망각은 과거의 부담을 떠안고 행복을 추구하는 중년에게 자유와 평안을 제공하는 특별한 도구로 작용합니다. 따라서 중년은 과거의 소음을 잊고, 망각을 활용하여 현재의 고요함과 행복을 찾아가야 합니다.

Nietzsche Insight

1. 심리적 해방과 과거부터의 해방

중년에 이르면 과거의 실수, 상처, 혹은 어려움과의 연관성이 크게 증가하는데, 망각은 이러한 부담을 덜어주고, 지나간 일들을 잊는 힘을 주어 심리적으로 해방된다. 중년에는 과거의 부담을 떠올리지 않고 현재를 즐기고 미래를 향해 나아가야 한다.

2. 긍정적인 마음가짐과 감사의식 강화

망각을 사용함으로써 부정적이거나 고통스러운 기억을 배제하고 긍정적인 경험과 순간들에 집중할 수 있다. 이는 긍정적인 마음가짐을 형성하고 삶에 대한 감사 의식을 강화하는 데 도움이 된다. 망각을 통해 자신의 삶에 긍정적인 면에 주목하고 감사하는 태도를 가져야 한다.

3. 자아의 새로운 구축과 변화의 가능성

망각은 어떤 측면에서는 자아의 새로운 구축을 가능하게 한다. 과거의 부정적인 경험을 잊고 새로운 경험에 열려 있는 마음으로 중년을 맞이하면, 변화와 성장의 가능성이 더욱 확장된다.

인간은 흠이 있어야 완전하다

•
•
•

Nietzsche
"좀 더 여린 약한 본성들이 대체로 모든 진보를 가능하게 한다. 어디에선가 부패하고 약해져 가지만 전체로서는 아직 강한 민족은 새로운 것의 감염을 받아들여 장점으로 만들 수 있다. 교육자는 그에게 상처를 입히거나, 이미 입은 상처를 이용해야 한다. 그래야만, 그 상처 입은 부분에 새롭고 고상한 그 어떤 것이 접종될 수 있는 것이다." 《인간적인 너무나 인간적인》

니체에 의하면, 약한 본성은 진보와 함께 강한 민족에게 장점으로 작용한다고 합니다. 이는 인간에게 흠이 있는 것이 완전함을 의미합니다. 특히 중년에 이르는 인간은 이미 입은 상처를 통해 새롭고 고상한 것을 접종

받습니다.

중년을 맞이한 인간은 이미 경험을 통해 여러 가지 상처를 입었을 가능성이 높습니다. 이러한 상처는 처음에는 고통스러울 수 있지만, 그들에게는 새로운 것을 받아들일 기회를 주는 것입니다. 상처는 그들이 예전에 놓치거나 간과했던 가치를 발견하거나 새로운 관점을 얻을 수 있는 창을 열어줍니다.

또한 중년은 성취와 실패, 성공과 어려움을 경험한 시기입니다. 이는 인간이 성장하고 변화하는 기회를 제공합니다. 상처와 실패는 사람에게 겸손과 회복탄력성을 가르쳐줍니다. 또한, 중년은 자기 인식과 자아를 다시 탐색하고 발전하는 기회를 제공합니다. 이는 인간이 더 나은 버전의 자기 자신으로 성장할 수 있는 기초를 마련합니다.

중년의 상처 입은 부분은 또한 다른 사람들과의 연결과 이해를 깊게 하는 데 도움을 줍니다. 상처를 통해 경험과 이해력이 함께하는 중년은 자신의 기존 성과나 허용되지 않는 부분을 다른 사람들과 공유하고 같은 상처를 가진 사람들을 이해하며 동정심을 갖게 됩니다. 이를 통해 중년은 조화와 공감을 통해 사회적인 관계를 더욱 깊게 발전합니다.

중년에 인간의 흠과 상처는 그들에게 완전함과 성장을 위한 유익한 도구가 됩니다. 이러한 상처는 새로운 것을 수용하거나 예전에 놓치거나 간과했던 가치를 발견하는데 도움이 되며, 경험과 이해력을 통해 자기 인식과 자아를 탐색하고 발전할 기회가 됩니다. 또한, 이러한 상처는 다른 사람들과의 연결과 공감을 통해 조화로운 사회적 관계를 형성하는데 도움을 줍니다. 따라서 중년을 위한 "인간은 흠이 있어야 완전하다"라는 주제는 중년에 이르는 사람들에게 용기와 희망을 주는 중요한 메시지입니다.

Nietzsche Insight

1. 성장과 발전을 통한 완전함의 실현

중년에 이르면서 누구나 상처를 입고 부패하거나 약해진다. 그러나 이러한 흠과 약함은 인간의 성장의 시작일 뿐이다. 중년은 자신의 흠과 부족함을 인식하고 받아들이면서, 그것을 극복하고 성장하는 기회를 맞이하는 중요한 시기이다.

2. 새로운 경험과 지혜의 획득

중년은 과거의 경험에서 나온 상처와 흠들을 새로운 지혜와 경험으로 바꾸어 나가는 기회의 시기이다. 과거의 실수나 상처를 통해 배우며, 그것들을 통해 쌓인 지혜를 새로운 도전에 활용하는 것이 중요하다.

3. 다양성과 창의성을 통한 완성된 인간

흠과 상처를 통한 개인의 성장은 다양성과 창의성을 통한 인간의 완성도를 높인다. 중년은 고유한 경험과 특성을 갖고 있으며, 이를 통해 다양한 시각과 아이디어를 제공한다. 새로운 것의 감염을 받아들여 상처 입은 부분에 새롭고 고상한 것을 접종해야 창의성과 다양성이 증진한다.

고통은 영혼을 성장시킨다

•
•
•

Nietzsche
"그대들은 고통에 대한 훈련이야말로 인류를 위대하게 해준다는 사실을 아는가? 영혼의 힘을 키워주는 불행 속에서 영혼이 느끼는 긴장, 불행을 짊어지고 해석하는 영혼의 독창성과 용기, 깊이, 비밀, 가면, 정신, 간사한 꾀, 뛰어남이야말로 고통받는 영혼에게 주어진다." 《선악을 넘어서》

니체는 《선악을 넘어서》라는 저서에서 고통에 대한 특별한 시각을 제시합니다. 그는 고통이 영혼을 성장시키는 과정에서 주는 가치에 주목하며, 영혼이 키워지고 발전하는데 어떠한 역할을 하는지에 대해 설명하고 있습니다. 이에 중년에 도전과 고난이 찾아올 때, 어떻게 이를 긍정적으로 받아들이고 성장의 기회로 삼을 수 있어야 합니다.

고통은 마치 영혼의 훈련장과 같습니다. 중년에는 여러 도전과 어려움에 부딪히게 됩니다. 그러나 니체는 이를 영혼의 힘을 키우는 과정으로 간주합니다. 중년에 영혼은 고통을 통해 더 강화되고 성숙해지며, 자아의 강인함과 인내력을 길러나갑니다. 이는 고통을 부정적인 측면에서만 바라보지 않고, 긍정적인 변화와 성장의 씨앗으로 바라볼 수 있는 관점의 전환을 의미합니다.

니체는 고통을 해석하는 방식이 영혼의 독창성과 용기를 부여한다고 주장합니다. 중년은 고통을 짊어지고 이를 해석하는 과정에서 창의성이 발휘됩니다. 고난과 어려움을 이해하고 받아들이는 과정에서 중년은 독창성을 발휘하며 자신만의 해결책과 세계관을 형성하게 됩니다. 이는 영혼의 깊이를 발견하고, 자아의 심화된 이해를 이끌어내는 중요한 과정이며, 이러한 독창성이 영혼을 더욱 풍부하게 만듭니다.

고통 속에서 중년은 비밀과 가면, 정신의 깊이를 탐험하게 됩니다. 어려운 시기를 겪을 때 영혼은 더 깊이 있는 고찰을 통해 본질을 발견하게 되며, 자아의 본질과 가면 뒤에 숨겨진 진리를 이해하게 됩니다. 이는 정신적인 성장과 깨달음으로 이어져, 고통을 통한 영혼의 진화가 중년의 삶을 더욱 풍요롭게 만들게 됩니다.

니체의 관점을 중년에 적용하면, 고통은 영혼의 성장과 발전을 위한 특별한 기회를 제공합니다. 중년은 어려움과 도전을 겪을 때 이를 부정적인 측면에서만 보지 않고, 긍정적인 성장의 기회로 인식하여 받아들일 수 있는 인지력과 자세를 갖춰야 합니다. 고통을 통해 영혼의 힘을 키우고, 독창성과 깊이 있는 생각을 발전시키며, 비밀과 가면 뒤에 있는 진리를 발견하는 과정을 통해 중년은 더욱 강한 영혼으로 성장하게 됩니다.

Nietzsche Insight

1. 내적 성숙과 깊은 이해의 가능성

중년은 고통을 통해 자아를 발전시키고, 고난 속에서 나타나는 감정과 생각을 깊이 이해할 수 있다. 고통은 마치 영혼의 학교처럼 작용하여, 자신의 강점과 한계를 파악하면서 내적 성장을 이루게 된다.

2. 강한 정신력과 심리적 강인함의 구축

고통은 중년에게 강한 정신력과 심리적 강인함을 구축하는 과정의 일부이다. 삶의 도전과 어려움을 극복하며 중년은 내면의 강함을 발견하게 되고, 이를 통해 자신의 정신력을 키워나간다. 고통을 이겨내면서 중년은 불굴의 의지를 키우고, 삶의 어려운 순간에서도 자신을 유지한다.

3. 창의성과 자아의 발전을 위한 도전

고통은 중년에게 창의성과 자아의 발전을 위한 도전의 기회를 제공한다. 중년은 고통의 해석과 이를 극복하는 과정에서 독창성과 창의력을 개발하며, 자아가 더욱 발전할 수 있다. 고통을 이용하여 삶에 새로운 의미와 목표를 찾고, 창의적으로 행동하게 한다.

오직 자신으로 살자

•
•
•

Nietzsche
"자연이 우리에 대해 아무 의견도 갖고 있지 않기 때문에 우리가 즐겁게 자유로운 자연 속에 있을 수 있는 것이다."
《인간적인 너무나 인간적인Ⅱ》

니체는 《인간적인 너무나 인간적인Ⅱ》에서 자연과 인간의 관계에 대해 독특한 시각을 제시합니다. 그는 자연이 우리에게 아무 의견도 갖고 있지 않다는 점에서 우리가 즐겁게 자유로운 자연 속에 있을 수 있는 이유를 강조합니다. 이에 중년에게는 자신의 삶을 온전하게 살아가기 위해 자연과의 조화와 자유로움에 대한 의미를 찾는 중요성을 강조합니다.

중년은 자기 근원을 찾고 자기 자신이 만족하는 시기입

니다. 청년기에는 타인의 평가와 기대에 주도적으로 영향을 받으며 삶을 살아왔지만, 중년에는 이러한 사회적 압박으로부터 벗어나고 독립적인 생각과 행동을 통해 자신에 대한 책임을 가질 필요가 있습니다. 이는 자유로운 자연 속에 있을 수 있는 것이고, 니체의 말대로 자연은 우리에게 아무런 의견도 갖고 있지 않기 때문입니다.

중년이 "오직 자신으로 살기" 위해서는 자기 자신에게 솔직해지고, 자기 자신을 받아들인 후에야 비로소 자기 관리와 자기계발이 가능해집니다. 중년기에는 자신의 가치를 다시 확인하고 존중하는 과정이 필요합니다. 다른 사람들의 평가나 외부의 규범에 휘둘리는 것이 아니라, 자신의 중요성을 느끼며 자유롭게 살아갈 수 있는 자세를 가져야 합니다.

중년에는 자신의 가치와 관심사에 집중하여 자신이 발전하는 기회가 있습니다. 타인과의 비교나 경쟁에서 벗어나 자기 모습에 진지하게 집중한다면, 자신만의 삶을 만들고 성취할 수 있는 자유로움을 느낄 수 있습니다. 중년에는 자유롭게 자신의 열정과 관심사에 따라 삶을 설계하고 실현할 수 있습니다.

중년은 타인의 기대와 사회적 압박에서 벗어나 자신에게 집중하며 자유로운 삶을 살아가는 시기입니다. 중년이 "오직 자신으로 살자"는 자유로움과 자아를 가치 있게 여기는 니체의 주장을 수용해야 합니다. 타인의 평가나 외부의 규범에 영향받지 않고 자신을 받아들이고 존중하는 자세를 갖추고 있다면, 중년에 풍요로운 삶을 즐길 수 있게 됩니다.

Nietzsche Insight

1. 자아의 발견과 수용

중년에 도달하면 자아를 발견하고 수용하는 과정이 중요해진다. 니체의 말처럼, 자연은 우리에 대해 특별한 의견을 가지고 있지 않다. 중년은 자기 자신과 소통하며 자아의 진실을 이해하고 받아들이는 시기이다.

2. 외부 평가에 대한 자유

중년에는 외부의 평가나 사회적 압력에 휘둘리지 않고 자유롭게 살아가는 데 중점을 둘 수 있다. 자연과 마찬가지로 우리는 외부의 기대나 판단에 구애받지 않고 자유롭게 살아갈 수 있는 능력을 개발해야 한다. 이는 자아 강화와 개인적인 삶의 목표를 추구하는 데 도움이 된다.

3. 주체적인 삶의 의미 찾기

니체는 자연과 우리의 관계에서 나온 인내와 수용의 태도에서 삶의 의미를 찾아야 한다고 조언한다. 자신의 가치관과 목표에 따라 삶을 살아가며, 외부의 평가나 사회적인 기준에 휘둘리지 않고 자유롭게 자신의 길을 선택하는 것이 중요하다.

자신을 사랑하는 자를 만나라

•
•
•

Nietzsche
"누군가 자기 자신을 혐오한다면 그를 무서워해야 한다. 왜냐하면 우리가 그의 분노와 복수의 희생양이 될 것이기 때문이다. 우리는 그가 스스로를 사랑할 수 있도록 도울 방법을 떠올려야 한다." 《아침놀》

중년은 인생의 한 단계로, 어린 시절의 꿈과 욕망과는 달리 여러 가족과 사회적인 압박에 직면하게 되는 시기입니다. 이러한 압박들은 종종 자아 존중감을 훼손시키고 자기 자신을 혐오하게 만들 수 있습니다. 니체는 《아침놀》이라는 글에서 이러한 혐오의 위험성을 경고하며 우리는 중년에 이르는 사람들이 자기 자신을 사랑할 수 있는 방법을 찾아야 한다고 말합니다.

중년은 자신의 한계와 결함을 더욱 명확히 인식하게 됩니다. 그러나 이는 동시에 자신을 혐오할 수 있는 원인이 되기도 합니다. 중요한 것은 자아의 한계를 수용하며 완벽하지 않음을 받아들이는 것입니다. 이를 통해 우리는 자신을 사랑하고 받아들일 수 있는 기반이 마련됩니다.

중년은 주변 역할과 의무의 부담으로 인해 자기 돌봄을 소홀히 합니다. 그러나 자신을 사랑하고 배려하는 사람이 되려면 자기 돌봄이 필수입니다. 우리는 몸과 마음을 챙기기 위한 시간과 노력을 투자하고 우리 자신을 대접할 필요가 있습니다. 이를 통해 우리는 자신을 소중히 여기는 자세를 키워야 합니다.

자기 자신을 사랑하는 사람은 자신의 가치를 인정하고 성장하기 위해 노력합니다. 중년에는 새로운 목표와 도전을 설정하고 자기 발전을 위해 노력하는 것이 중요합니다. 자신의 현재 상태를 받아들이면서도 더 나은 미래를 향해 나아가는 모습을 보여주는 것은 자기 사랑의 한 방법입니다.

중년은 자아 존중감을 찾아가는 도전적인 시기입니다. 니체는 자기 자신을 혐오하는 사람들이 많을 수 있다고 경고하며, 우리는 중년에 이르는 사람들이 자기 자신을 사랑할 수 있는 방법을 찾아야 한다고 말합니다.

자아 인식과 수용, 자기 돌봄과 배려 그리고 자기 수용과 성장을 통해 우리는 자기를 사랑하고 받아들일 수 있는 사람이 될 수 있습니다. 중년에 이르는 사람들을 위한 “자기 자신을 사랑하는 자”를 만나는 여정은 곧 진정한 행복과 만족을 찾는 여정입니다.

Nietzsche Insight

1. 자기 존중과 내면 안정

중년에 자신을 혐오하는 상태는 내면에서의 불안과 불편함을 초래한다. 자신을 사랑하는 자를 만나면 그는 자기 존중과 내면의 안정을 찾아가는데 도움을 준다. 중년은 자기 자신을 긍정적으로 평가하고 자존감을 높이는 데에 중점을 두어 내면에서의 평온을 찾을 수 있다.

2. 감정 지원과 소통의 기회

자신을 혐오하는 사람은 종종 감정적인 지원과 소통의 부재로 고통을 겪는다. 중년은 자기 자신을 사랑하는 자를 만나면서 서로의 감정을 나누고 공감하는 기회를 찾을 수 있는데, 감정적인 안정과 사회적인 연결을 강화한다.

3. 심리적 성장과 긍정적 변화

자신을 사랑하는 자를 만나면 서로 성장하고 긍정적인 변화를 이루는 기회가 열린다. 중년은 자기 자신을 사랑하는 관계를 통해 서로에게 영감을 주고, 자아 발전에 대한 동기부여를 얻을 수 있다. 이는 심리적 성장과 긍정적인 삶의 전환에 기여한다.

모든 편견을 버려라

•
•
•

Nietzsche

"너는 지하실에 사나운 개를 길렀었다. 그러나 그것들도 결국 새가 되고 노래하며 춤추는 아름다운 여가수로 변하지 않았는가?" 《차라투스트라는 이렇게 말했다》

니체는 《차라투스트라는 이렇게 말했다》에서 강렬한 비유를 사용하여 편견을 깨고 변화의 가능성에 대해 언급합니다. 그는 지하실에 길러진 사나운 개들이 결국에는 아름다운 여가수로 변하는 모습을 통해 편견과 예측할 수 없는 변화에 대한 메시지를 전달합니다.

중년은 종종 삶의 지하실, 즉 과거의 편견과 사회적인 기대에 얽매여 살아가는 경향이 있습니다. 이러한 편견은 자아를 제한하고 새로운 경험과 가능성을 방해할 수 있습니다. 중년이 처한 삶의 지하실에서 벗어나려면, 자신이 갖고 있는 편견을 인식하고 이를 버리는 용기가 필요합니다.

니체는 길들여진 사나운 개들을 통해 사회적 편견과 예상치 못한 변화를 상징합니다. 중년이 편견에 묶여있는 것은 마치 사나운 개처럼 얽혀있는 것과 같습니다. 그러나 이들이 결국에는 아름다운 여가수로 변한다는 비유는 편견을 깨고 변화의 가능성을 열어둔다는 희망을 전합니다.

편견을 버림으로써 중년은 자유롭게 새로운 가능성을 탐험할 수 있습니다. 편견은 자아를 좁혀놓고 삶의 다양한 측면을 인식하지 못하게 만듭니다. 중년이 편견을 버림으로써 자신의 가치를 다시 발견하고, 예상치 못한 변화를 포용할 수 있게 됩니다.

니체는 개들이 아름다운 여가수로 변하는 것을 통해 예측할 수 없는 변화의 아름다움을 강조합니다. 중년 또한 편견을 버리고 변화를 수용함으로써 더 풍부하고 다양한 삶을 창조할 수 있습니다. 새로운 가능성을 탐험하면서 중년은 자기 내면에서 노래하며 춤추는 아름다운 여가수로서의 모습을 발견합니다.

"모든 편견을 버려라"는 중년에게 편견을 깨고 예측할 수 없는 변화에 대한 열린 마음을 가지라는 촉구를 담고 있습니다. 지하실에서 사나운 개들을 아름다운 여가수로 변하는 비유를 통해 중년은 자유롭게 다가오는 변화를 수용하고, 예상치 못한 아름다움을 찾아갈 수 있습니다. 편견을 떨쳐내고 자유롭게 변화하는 중년은 자신만의 독특한 여정을 향해 나아가야 합니다.

Nietzsche Insight

1. 새로운 관점과 열린 마음

중년에 모든 편견을 버린다는 것은 새로운 관점을 허용하고 열린 마음으로 세상을 바라보는 것을 의미한다. 처음에는 사나운 개가 시간이 지나면서 아름다운 여가수로 변했다. 새로운 경험과 이전의 편견을 버리며 새로운 가능성을 탐험할 수 있는 자세가 중요하다.

2. 자아의 변화와 성장

중년은 인생의 다양한 경험과 시련을 통해 자아가 변화하고 성장하는 시기이다. 모든 편견을 버리고, 자아의 변화와 발전에 열려 있는 태도를 가지면 새로운 시대에 적응하며 삶의 다양한 측면에서 성장한다.

3. 타인과의 연결과 이해

편견을 버리는 것은 타인과의 연결과 이해가 증진하는데 도움이 된다. 중년에는 타인에게 열려 있는 자세로 편견을 떠나 공감과 이해를 바탕으로 더 깊은 인간관계를 형성할 수 있다.

마음의 잡초를 제거하라

Nietzsche
"우리는 자신의 충동을 정원사처럼 관리할 수 있다. 그리고 일부만이 아는 사실이지만, 분노, 동정, 심사숙고, 허영심을 마치 울타리에 달린 아름다운 과일처럼 쓸모 있는 것으로 키울 수 있다."《아침놀》

마음의 정원은 각자의 감정과 충동으로 가득 차 있습니다. 중년이라는 시기에는 삶의 여러 경험으로 인해 마음이라는 정원에는 다양한 잡초가 자라고 있습니다. 그 중에서도 분노, 동정, 심사숙고, 허영심은 마치 울타리에 달린 아름다운 과일처럼 키울 수 있는 특별한 장점을 지닌 감정입니다. 이러한 감정을 정원사처럼 관리하고, 마음의 잡초를 선별적으로 제거하는 과정은 중년의 삶에서 더욱 중요한 과제가 됩니다.

먼저, 우리는 분노와의 대면이 필요합니다. 중년에 이르러 많은 사람들은 삶의 어려움과 스트레스에 직면하게 됩니다. 분노는 이러한 어려움에 대한 자연스러운 반응이지만, 그것을 정원사처럼 다양한 식물들을 키우듯이 다양한 감정으로 변화시킬 수 있습니다. 분노를 이용해 문제 상황에 대한 해결책을 찾거나, 긍정적인 행동으로 전환할 수 있도록 노력해야 합니다.

동정은 마음의 정원에서 자라는 다른 아름다운 꽃입니다. 중년에는 주변 사람들의 어려움을 더 잘 이해하게 됩니다. 동정은 다른 이에게 공감하고 더 나은 사람으로 성장하는 데 도움이 되는 감정입니다. 마음의 정원에서 동정의 꽃을 키우면서 다른 이들과의 연결을 강화하고 공감능력을 향상시켜야 합니다.

심사숙고는 마음의 정원에서 깊이 심어진 나무로 비유될 수 있습니다. 중년에는 삶의 의미와 목표에 대한 심사숙고가 필요합니다. 과거의 경험을 돌아보며 자아를 파악하고, 미래에 대한 계획을 세우는 시간을 가질 필요가 있습니다. 정원사처럼 정성껏 심어낸 심사숙고의 나무는 중년의 지혜와 안정성을 나타내게 됩니다.

마지막으로, 허영심은 정원의 아름다운 꽃 중 하나로 자리할 수 있습니다. 중년에 이르면서 성취와 자부심을 느끼는 순간들이 있습니다. 이러한 순간을 허영심의 꽃으로 키우되, 과도한 자만과 교만을 피하며 겸손한 마음가짐을 유지해야 합니다.

중년을 위한 마음의 정원사로서, 우리는 분노, 동정, 심사숙고, 허영심이라는 다양한 감정을 균형 있게 관리하며 성장해 나가야 합니다. 이 감정은 마치 울타리에 달린 아름다운 과일처럼 쓸모 있는 것으로 다듬고, 마음의 잡초를 정성스럽게 제거해 나가면서 중년의 삶을 더욱 풍요롭게 만들어 나가야 합니다.

Nietzsche Insight

1. 정신적인 안정과 평온을 찾기 위해서

마음의 잡초, 즉 부정적인 감정이나 충동을 효과적으로 다루지 않으면, 정신적인 불안과 스트레스가 증가할 수 있다. 마음의 정원을 가꾸어 잡초를 제거해야 정신적인 안정과 평온을 찾을 수 있다.

2. 인간관계의 품질 향상을 위해서

마음의 잡초는 종종 인간관계에 부정적인 영향을 미친다. 분노, 동정, 심사숙고, 허영심과 같은 감정이 서로 소통과 이해를 방해할 수 있다. 중년에서는 가족, 친구, 동료와의 관계를 더욱 풍요롭게 만들기 위해 이러한 잡초를 제거하는 것이 중요하다.

3. 자기성장과 목표 달성을 위해서

중년은 자기성장과 새로운 목표를 달성하기 위한 시기이다. 마음의 정원을 관리하고 잡초를 제거함으로써 개인적인 발전에 집중할 수 있다. 부정적인 감정을 통제하고 긍정적인 마음가짐을 유지함으로써 새로운 도전에 대비하고 목표를 달성하는데 도움이 된다.

부분이 아니라 전체를 사랑하라

•
•
•

Nietzsche
"괴테는 가능한 많은 것들을 수용했다. 그는 '전체성'을 바랐으며, 이성과 감성, 감정, 의지의 분리에 맞서 싸웠다. 그는 강하고 교양이 있는 인간을 바랐다. 자연의 모든 범위와 풍요로움을 과감하게 허용하면서 이런 자유를 누릴 수 있을 만큼 충분히 강한 인간 말이다." 《우상의 황혼》

괴테가 말한 대로, '전체성'을 바라는 삶은 마치 이성과 감성, 감정, 의지의 분리에 맞서 싸우는 것과 같습니다. 중년에 이르러서는 삶의 다양한 측면을 수용하고, 부분적인 경험들이 아니라 전체적인 삶을 사랑하는 태도가 중요해집니다. 니체는 괴테의 가르침을 통해 중년에 우리가 어떻게 부분이 아니라 전체를 사랑하는 방법을 배워야 합니다.

괴테의 '전체성'은 삶의 모든 면을 풍부하게 경험하고 이를 수용하려는 욕망입니다. 중년에는 이미 다양한 경험을 통해 삶의 다양한 측면을 알게 되었습니다. 성공과 실패, 기쁨과 슬픔, 사랑과 상실 등 다양한 감정과 경험들은 삶의 풍요로움을 이루는 중요한 부분입니다. 괴테처럼 우리도 삶의 각 순간을 과감하게 허용하며 풍요로운 전체성을 경험할 수 있는 자세를 갖춰야 합니다.

니체의 말처럼 감성과 이성, 감정, 의지의 분리에 맞서 싸우는 것은 중년에 더욱 중요합니다. 이 기간은 자아를 찾고 성장하는 시기이며, 부분적인 이해가 아니라 전체적인 통찰을 통해 자아를 이해하고 받아들이는 과정입니다. 우리는 감성과 이성을 조화롭게 융합시키며 삶을 이해하고, 감정과 의지를 통해 삶에 대한 책임을 다해 나가야 합니다.

니체의 이런 철학을 통해 우리는 강하고 교양 있는 인간으로 성장할 수 있습니다. 중년에도 새로운 도전과 배움에 개방적으로 대할 수 있는 자세는 우리를 더욱 강하게 만들게 됩니다. 또한, 자연의 모든 범위와 풍요로움을 과감하게 허용하면서 삶의 다양한 경험을 망라하며 더욱 풍성한 삶을 살아갈 수 있습니다.

중년은 지금까지의 경험을 부정하지 않고, 각각의 부분을 존중하며 전체적인 삶을 사랑하는 태도를 취해야 합니다. 부분적인 측면이 아니라 전체적인 시각으로 삶을 바라보고, 괴테와 니체의 가르침을 따라 우리의 삶을 풍요롭게 만들어 나아가야 합니다.

Nietzsche Insight

1. 내적 통합과 평형

중년에는 자기 내면에서 이성과 감성, 감정, 의지와 같은 다양한 측면들을 통합하는 것이 중요하다. 괴테가 바란 것처럼 전체성을 추구하면서 내적인 모순과 갈등을 최소화하고 평형을 찾아야 내적 안정과 평화를 찾는다.

2. 자연과의 조화와 연결

괴테가 강조한 대로, 중년은 자연의 다양한 면과 풍요로움을 허용하면서 연결하고 조화를 이루는 것이 중요하다. 자연의 다양성을 존중하고 수용함으로써 삶의 풍요로움을 더욱 깊게 느낄 수 있으며, 자연과의 조화를 통해 전체적인 삶의 의미를 찾는다.

3. 자기 성장과 확장

부분이 아닌 전체를 사랑한다는 것은 자기 자신의 성장과 확장을 열어두는 것을 의미한다. 중년에는 새로운 경험과 학습을 통해 자아를 확장하고, 삶의 다양한 영역에서 성장하는 기회를 찾는 것이 중요하다. 이를 통해 괴테가 바라본 강하고 교양 있는 인간이 되는 것이 중요하다.

삶은 그 자체가 축제다

•
•
•

Nietzsche
"우리는 익숙한 것들을 너무 소홀히 여긴다. 어떤 사람들은 살기 위해 먹고, 정욕 때문에 아이를 낳는다고 말할 정도다. 그들은 현재보다 더 나은 멋진 삶은 여기가 아닌 어느 먼 세상에 있는 것처럼 말한다. 우리는 이제 현재의 삶을 확고히 지탱하고 있는 모든 것들에 흔들림 없는 믿음의 시선을 보내야 한다. 이런 태도만이 우리를 제대로 살게 만들기 때문이다." 《방랑자와 그 그림자》

중년에는 자주 익숙한 것들을 소홀히 여기곤 합니다. 음식을 먹고, 가족을 기르고, 정해진 일상에서 소소한 행복을 찾는 이들이 있습니다. 그러나 니체는 이러한 현실에 안주하지 말고, 현재의 삶을 더욱 강렬하게 느끼며 축제처럼 여기라고 말합니다. 중년에 살아가는 우리는 현재의 삶을 확고히 지탱하고 있는 모든 것에 흔들림 없는 믿음의 시선을 보내어, 삶을 제대로 살 수 있는 새로운 시각을 찾아가야 합니다.

죽음 앞에선 삶이 축제인 것을 잊기 쉽습니다. 니체는 우리가 먹고, 사랑하고, 느끼는 모든 경험은 우리의 존재를 풍요롭게 만들어준다고 말합니다. 중년의 우리는 어떤가요? 혹은 더 나아가, 어떻게 해야 현재의 삶을 축제로 만들 수 있을까요?

중년에는 삶의 간단한 순간들에 찬미를 보내는 법을 배워야 합니다. 아침의 따뜻한 햇살, 가족과 함께하는 식사, 친구와의 웃음 소리 - 이런 일상적인 순간들이 실제로는 우리 삶의 큰 부분을 차지하고 있습니다. 니체의 말처럼, 우리는 너무나 익숙한 것들을 소홀히 여기는 습관에서 벗어나서, 간단한 즐거움에 감사하고 기쁨을 느끼는 미덕을 기를 필요가 있습니다.

중년은 자아를 다시 발견하고, 그 안에 축제의 존재를 발견하는 시간입니다. 자기 자신을 인정하고, 자아의 다양성을 수용하며, 과거의 후회나 미래의 불안에 얽매이지 않고 현재를 축제로 여길 때, 우리는 더 풍요로운 중년을 맞이할 수 있습니다.

중년에는 니체의 말처럼 현재의 삶에 흔들림 없는 믿음의 시선을 보내야 합니다. 과거의 부정적인 경험에 매달리지 말고, 미래의 불안에 미리 괴로워하지 말고, 현재의 순간에 집중해야 합니다. 우리가 지금 가지고 있는 것들, 사랑하고 있는 사람들, 그리고 우리 자신의 모습을 축제처럼 기뻐하며 받아들일 때, 중년은 더욱 풍요로워집니다.

중년에는 삶을 축제로 여기며, 간단한 순간들에 감사하고 기쁨을 찾아가는 것이 중요합니다. 과거의 원근법적 평가에서 벗어나 현재의 삶을 확고하게 지탱하며, 더 나은 중년을 살아갈 수 있는 새로운 시각을 찾아가야 합니다.

Nietzsche Insight

1. 현재의 가치를 인식하고 존중

중년에는 현재의 삶과 그 안에 담긴 모든 가치를 인식하고 존중하는 태도가 중요하다. 니체는 현재의 삶을 확고히 지탱하고 있는 모든 것에 믿음을 보내라고 이야기하고 있다. 중년에는 현재의 순간을 소중히 여겨야 한다.

2. 소홀히 여기는 것에 대한 인식과 변화

니체는 우리가 익숙한 것들은 너무 소홀히 여기고, 미래나 먼 곳에 더 나은 삶이 있다고 찾는 태도에 대해 비판하고 있다. 중년에는 현재를 무시하거나 소홀히 여긴다는 생각을 가져야 한다.

3. 믿음과 긍정적인 태도 강화

니체는 흔들림 없는 믿음의 시선을 지향하며, 이런 태도만이 우리를 제대로 살게 만든다고 말한다. 중년에는 믿음과 긍정적인 태도를 강화하면서, 현재의 삶을 즐기고 축제로 여기는 자세를 갖는 것이 중요하다.

3장

Nietzsche Insight

자기극복

세상에는 나만의 길이 있다

•
•
•

Nietzsche
"세상에는 어느 누구도 아닌, 오로지 나만 걸어갈 수 있는 길이 하나 있다. '이 길은 어디로 이어지는가?' 묻지 말고 그저 걸어라. 사람은 그 길이 자신을 어디로 데려갈지 모를 때 가장 높이 오를 수 있는 법이다." 《반시대적 고찰》

중년이야말로 새로운 시작을 할 때입니다. 세상에는 많은 길이 있지만, 그 중에서도 당신만이 걸어갈 수 있는 길이 있습니다. 이 길은 다른 사람들보다는 조금 더 특별하며, 당신과 당신의 경험, 역량, 그리고 소망들이 함께 어우러져 있는 길입니다.

길은 어디로 이어지는지 묻지 말고, 그저 걸어가는 것이 중요합니다. 중년에는 많은 도전과 변화가 당신을 기다리고 있습니다. 그 길이 어디로 이어지는지 미리 알 수 없을지라도, 다만 그 길을 향해 조금씩 걸어가는 것이 중요합니다. 각자의 인생에서 중요한 순간들은 다른 사람과는 다를 수 있습니다만, 그 순간을 통해 당신은 자신을 더욱 깊이 알아가고, 자신만의 길을 발견할 수 있습니다.

중년에는 많은 변화와 도전이 동반됩니다. 가족, 직업, 건강, 관계 등 다양한 측면에서 다양한 의미의 변화들이 찾아옵니다. 하지만 이 변화와 도전들은 당신이 나아가야 할 길을 찾는 데 큰 도움이 됩니다. 이제는 과거의 성취나 실패에 길들여진 것을 벗어나고, 당신만의 새로운 길을 모색할 차례입니다.

세상에는 많은 사람들이 있습니다. 하지만 오로지 당신만이 걸어가야 하는 길이 있습니다. 그 길이 어디로 이어지는지 미리 알 수 없지만, 당신 자신이 가장 행복하고 만족할 수 있는 길로 이어질 것입니다. 이제 당신은 가장 높이 오를 수 있는 법을 알게 되었습니다. 자신을 향한 믿음과 자신의 가능성에 일어설 준비가 된 것입니다.

중년의 당신에게는 이미 축적된 경험과 지식 그리고 도전정신이 있습니다. 그런 당신이 새로운 길을 찾아 나갈 때, 이제는 어떤 것이 당신을 더욱 행복하게 할지, 어떤 것이 당신이 가장 높이 오를 수 있는 법인지 더 잘 알 수 있습니다. 세상에는 어느 누구도 아닌, 오로지 당신만이 걸어갈 수 있는 그 길을 찾았을 때, 당신은 중년에도 여전히 높이 솟아 올라 갈 수 있는 사람이라는 것을 깨닫게 됩니다.

"세상에는 나만의 길이 있다"는 말은 중년인 당신에게 큰 위로와 동시에 새로운 도약을 꿈꾸게 만들어줍니다. 이 길이 어디로 이어질지 모르는 것은 당신에게 더 큰 자유를 주며, 자신의 가능성과 희망을 실현하기 위한 기회를 제공합니다. 그저 당신 자신을 믿고, 당신만의 길을 찾아서 걸어가면 됩니다. 중년에 다가와 있는 당신에게 걸음 한 발씩 멈추지 않고, 앞으로 나아갈 용기를 불어넣는 글이 되리라 생각합니다.

Nietzsche Insight

1. 자기 실현과 존재의 의미

중년에 있어 "세상에는 나만의 길이 있다"는 자기 실현과 존재의 의미를 중요시하는 것과 연결된다. 이는 지금까지의 삶에서 누릴 수 있었던 성취와 경험을 토대로 나만의 길을 찾고, 자아를 실현하는 여정을 의미하며, 자신의 존재가 더 큰 의미와 목적을 가지기를 원한다.

2. 독립과 자율성의 추구

중년이 되면서 독립과 자율성을 더욱 강조하는 경향이 있다. 지금까지의 삶에서 타인의 기대와 사회적 압력에 따르는 것이 아니라, 나만의 가치관과 목표를 바탕으로 자유롭게 선택하는 것이 중요하다. 중년은 자기 자신에 대한 더 큰 책임감과 독립성을 추구한다.

3. 미래에 대한 자신감과 희망

자신감과 희망은 중년에게 나만의 길은 미래에 대하 불확실성을 다루는 데 도움을 준다. 나만의 길을 선택하고 나아가면서 미래에 대한 희망을 품고, 새로운 가능성을 열어나가는 자신감을 얻을 수 있다.

자기 자신을 깨트려라

•
•
•

Nietzsche
"뱀이 허물을 벗지 못하면 끝내 죽고 말듯이 인간도 낡은 사고의 허물에 갇히면 성장은커녕 안으로부터 썩기 시작해서 마침내 죽고 만다. 따라서 인간은 항상 새롭게 살아가기 위해 사고의 신진대사를 하지 않으면 안 된다." 《아침놀》

중년에 새로움과 성장을 추구하지 않는다면, 안으로부터 썩어나가게 되고 마침내는 삶의 의미를 잃게 됩니다. 이제는 중년에 자기 자신을 깨뜨려, 낡은 사고의 허물을 벗고 성장의 신진대사를 경험해야 합니다.

중년에 자기 자신을 깨뜨리는 첫걸음은 과거의 편견과 제약에서 벗어나는 것입니다. 어린 시절부터 쌓아온 사고의 허물은 자유로운 성장을 방해하고, 새로운 아이디어와 경험을 허용하지 않습니다. 중년은 이러한 편견을 돌아보고, 과거의 제약에서 벗어나 여러 가능성을 열어보는 것이 필요합니다.

낡은 사고의 허물을 벗으면서 중년은 더 큰 도전에 나서는 것이 중요합니다. 새로운 도전을 통해 자기 자신을 발견하고, 잠재력이 확장됩니다. 새로운 환경에서 도전은 중년이 새로운 지식과 기술을 습득하며, 자신의 한계를 넘어 성장하는 기회를 제공합니다.

낡은 사고의 허물을 벗으면서 중년은 내적 성장을 통해 강한 내면의 안정을 찾게 됩니다. 삶의 의미와 목표를 다시 고민하면서 내면에서의 변화는 자기 자신을 깨뜨리고 새로운 방향으로 나아가는 계기가 될 것입니다. 이는 삶의 변화에 대한 수용과 안정화를 통한 더욱 풍요로운 삶을 창조하는 과정입니다.

중년에 자기 자신을 깨뜨리면 타인과의 관계도 새롭게 형성됩니다. 낡은 사고의 허물을 벗으면서 더 열린 마음으로 소통하고 이해하려는 자세가 강조됩니다. 새로운 관계와의 상호작용을 통해 중년은 더 다양한 인간관계를 형성하고, 삶의 풍요로움을 느끼게 됩니다.

중년에 자기 자신을 깨뜨리면서 끊임없는 학습과 성장을 추구해야 합니다. 새로운 지식과 기술의 습득, 예전에는 시도하지 않았던 취미나 활동에 도전함으로써, 중년은 마치 어린 시절처럼 끊임없이 새로움을 찾아 나갈 수 있습니다.

중년에 자기 자신을 깨뜨리는 것은 마치 뱀이 허물을 벗고 낡은 부분을 버리듯이, 과거의 편견과 제약을 떼어내고 새로운 삶을 창조하는 여정입니다. 이 과정에서 중년은 삶의 의미를 새롭게 발견하고, 내면의 안정을 강화하며, 새로운 도전과 학습을 통해 계속해서 성장해 나아가야 합니다. 낡은 사고의 허물을 벗고, 자기 자신을 깨뜨리는 과정에서 중년은 더욱 풍요로운 인생을 살아가게 됩니다.

Nietzsche Insight

1. 새로움과 혁신을 통한 삶의 풍요로움

중년에 자기 자신을 깨뜨리는 것은 곧 새로운 사고와 신진대사를 통해 더 풍요로운 삶을 창조하는 것을 의미한다. 낡은 사고의 허물에서 벗어나 새로움을 허용함으로써, 중년은 자기 삶에 혁신을 가져다 준다.

2. 내적 성장과 새로운 목표 도달을 통한 자아 실현

자기 자신을 깨뜨리면서 중년은 내적으로 성장하고, 새로운 목표를 향해 나아가는 기회를 얻게 된다. 낡은 사고의 허물을 벗어나 새로운 사고로 마음을 열면, 새로운 목표에 도전하며 자아를 더욱 실현할 수 있다. 중년에 자기 자신을 깨뜨리는 것은 결국 새로운 자아로 발전한다.

3. 더 나은 대인관계와 사회적 연결

중년에 낡은 사고의 허물을 벗으면, 새로운 사고를 통해 대인관계와 사회적 연결을 더욱 풍성하게 만들 수 있다. 새로운 사고와 열린 마음은 타인과의 소통을 원활하게 하며, 서로 다른 관점을 이해하고 존중하는데 도움이 된다.

자신만의 길을 찾아라

•
•
•

Nietzsche
"어떻게 살아야 할지 삶의 방법론을 담은 책은 많지만, 내게 맞는 것을 찾기는 어렵다. 타인의 방식이 내게 맞지 않는 것은 당연한 일이니 전혀 이상할게 없다. 문제는 내가 던지는 '왜?'라는 물음의 내용을 나 스스로 전혀 인식하지 못하는 데 있다." 《우상의 황혼》

니체는 우리 주변에 많은 삶의 방법론을 담은 책들이 있지만 자신에게 맞는 책을 찾는 건 어렵다고 말합니다. 특히 중년에 이러한 고민과 불안이 더욱 커집니다. 니체는 중년에 자신만의 길을 찾기 위해 '왜?'라는 물음을 인식하고 진지하게 고민해야 한다고 조언합니다.

많은 사람들은 어떻게 살아야 할지에 대한 답을 삶의

방법론을 담은 책에서 찾으려고 합니다. 그러나 타인의 방식이 자신에게 맞지 않는다는 것은 당연한 일입니다. 우리는 각자 독특한 경험과 가치관을 가지고 있기에 다른 사람의 삶을 그대로 따라갈 수 없는 것이 자연스럽습니다.

하지만 문제는 많은 사람들이 자신이 던지는 '왜?'라는 질문의 내용을 전혀 인식하지 못합니다. 이 질문은 우리가 왜 그렇게 사는지, 왜 그 일을 선택하는지, 왜 그런 가치를 추구하는지에 대한 근본적인 질문입니다. 중년에 이러한 질문을 전혀 인식하지 못한다면 우리는 함께한 몇 십 년의 인생을 헛되게 보냈다고 할 수 있습니다.

중년에 자신만의 길을 찾기 위해서는 '왜?'라는 질문에 대해 진지하게 고민해야 합니다. 우리는 왜 그 일을 선택하는지, 왜 그 가치를 추구하는지를 분명히 이해하고 인식해야 합니다. 이를 위해 과거의 경험을 돌아보고, 자신의 가치관과 욕구를 다시 한 번 살피는 것이 필요합니다.

이러한 질문과 고민은 어렵고 복잡할 수 있지만, 중년에 자신만의 길을 찾기 위해서는 반드시 거쳐야 하는 과정입니다. 이 진지한 고민을 거치면서 우리는 자신의 목표와 가치를 더욱 분명하게 이해하게 됩니다. 더 나아가, 우리는 타인의 영향이나 사회적 압박에 휩쓸리지 않고, 자신만의 삶을 살아가며 진정한 만족과 성공을 찾아갈 수 있습니다.

중년에 자신만의 길을 찾는 것은 일상적인 과제가 아닙니다. 우리는 타인이나 외부 환경의 기대에 의지하는 것이 아니라, 자신이 던지는 '왜?'라는 질문에 대해 진지하게 고민하고, 자신의 가치와 목표를 분명히 인식해야 합니다. 이러한 진지한 고민과 인식을 통해 우리는 자신만의 길을 찾고, 더 나은 삶을 살아갈 수 있을 것입니다. 중년은 새로운 시작의 타이밍이며, 자신의 인생에 대한 새로운 가능성을 찾는 시간이기도 합니다. 그리고 이러한 여정은 어렵고 복잡할 수 있지만, 정직하게 자신과 마주하며 고민하는 과정에서 우리는 진정한 성장과 행복을 찾을 수 있습니다.

Nietzsche Insight

1. 자기만의 만족과 행복을 찾는다

중년에 자신만의 길을 찾는 것은 자기만의 만족과 행복을 찾기 위한 핵심 과정이다. 타인의 방식이 아닌 자신만의 길을 찾는 것은 내적으로 완전해지고 풍요로운 삶을 사는 기회를 제공한다.

2. 실질적인 성취와 성장을 이룬다

자신만의 길을 찾는 것은 실질적인 성취와 지속적인 성장을 이루기 위한 필수 과정이다. 왜냐하면 자신의 가치관과 목표에 기반하여 나아가는 것은 본질적인 만족감과 성취감을 가져올 뿐만 아니라, 그로 인해 오는 성장은 지속적인 발전과 발전을 이끌어 낸다.

3. 인생의 깊은 의미를 찾는다

'왜?'라는 질문으로 중년에 이르러서야 삶의 목적과 의미를 깊이 고민하고 찾아가는 것은 자아를 발견하고, 이를 통해 더욱 의미 있는 삶을 살아가기 위한 중요한 단계가 된다. '왜?'를 이해함으로써 인생의 방향을 더 명확하게 설정할 수 있다.

나는 세상의 최고의 걸작이다

•
•
•

Nietzsche
"나의 형제들이여! 가슴을 활짝 펴라. 그대들의 발도 높이 올려라! 훌륭한 무용가여! 제발 슬픈 곡과 모든 천민의 슬픔을 잊어버려라! 산의 동굴로부터 불어오는 바람에게 배워라. 바람은 자기의 피리 소리에 맞춰 춤춘다. 당나귀에게도 날개를 주고, 암사자의 젖도 짤 수 있는 이 훌륭하고 자유분방한 정신은 가상하다. 모든 자유로운 정신들의 영혼을 찬미하라! 스스로를 초월해서 웃는 것을 배워라!"
《차라투스투라는 이렇게 말했다》

중년에 이르면서 우리는 자아를 다시 발견하고 세상과의 관계를 새롭게 정립하는 여정에 들어갑니다. 니체의 말처럼, "나는 세상에 존재하는 최고의 걸작이다"는 주제는 중년의 삶에서 자신을 깊이 이해하고 존경하는 것에 대한 새로운 시각을 제시합니다.

중년이라는 삶의 단계에 도달하면서, "나는 세상에 존재하는 최고의 걸작이다"는 우리에게 자신을 사랑하고 인정하는 것의 중요성을 일깨워줍니다. 니체의 자유분방하고 자유로운 정신을 향한 촉구는 중년에 나 자신을 높이 평가하고, 세상과의 상호작용에서 나만의 가치를 찾아나가는 여정을 더욱 의미 있게 만듭니다.

첫 번째로, 중년은 과거의 실수나 실패에 대한 부정적인 감정을 넘어, 자신을 긍정적으로 평가하라는 촉구를 담고 있습니다. 지금까지의 삶에서 얻은 지혜와 경험을 통해 나 자신을 가장 소중한 걸작으로 인식하고 존경하는 것이 중요합니다.

두 번째로, 외부의 평가나 타인의 시선에 휘둘리지 말고, 나만의 가치관과 독특한 특성을 인정하라는 메시지를 전합니다. 중년에 우리는 더 이상 다른 이들의 기대에 부응하거나 외부의 인정에 의존하지 않아도 된다는 자유로움을 경험할 수 있습니다.

세 번째로, 세상과의 상호작용에서 새로운 도전과 발견

을 즐기는 자세를 강조합니다. 중년에는 삶의 다양한 측면에서 새로운 가능성을 찾아 나가는 것이 중요합니다. 자유로운 정신을 통해 산의 동굴로부터 불어오는 바람처럼 새로운 경험을 춤추며 맞이하자는 것입니다.

"나는 세상에 존재하는 최고의 걸작이다"는 중년에 도달한 우리에게 자신을 존중하고 사랑하는 것이 얼마나 중요한지를 상기시키며, 나만의 독특한 아름다움을 찾아가는 여정에서 자유로움과 만족감을 찾아가는 것을 촉진합니다. 나 자신을 걸작으로 여기고, 삶의 모든 순간을 자유롭게 춤추며 만끽하는 중년의 새로운 모습을 발견하는 여정은 보다 풍요로운 삶을 선사합니다.

Nietzsche Insight

1. 자기 존중과 긍정적인 자아 평가

“가슴을 활짝 펴라. 그대들의 발도 높이 올려라!”는 중년에게 자신을 높이 평가하고 존중해야 함을 알려준다. 중년은 이미 많은 경험을 쌓아왔고, 독특하고 특별한 존재라는 것을 자각하고 긍정적으로 수용함으로써 중년은 자신의 걸작이라는 가치를 더욱 깊게 느낄 수 있다.

2. 과거의 아픔과 부담에서 벗어나기

“슬픈 곡과 모든 천민의 슬픔을 잊어버려라!”의 부분은 중년에게 과거의 아픔과 부담에서 벗어나고, 긍정적인 에너지와 희망을 향해 나아가라는 조언을 담고 있다. 중년은 지금까지의 삶에서 얻은 지혜를 토대로 새롭게 도전한다.

3. 자유로움과 유연성을 통한 삶의 즐거움

“스스로 초월해서 웃는 것을 배워라!”는 주어진 상황을 긍정적으로 대하며 유연하게 살아가는 방법을 제시한다. 자신을 받아들이고, 웃음 속에서 긍정적인 에너지를 찾는 것은 중년이 삶의 도전에 대처하는데 큰 도움이 된다..

더 크게 기뻐하라

•
•
•

Nietzsche
"작은 일에도 크게 기뻐하라. 기뻐하면 마음을 어지럽히는 잡념을 잊을 수 있고, 타인에 대한 혐오감이나 증오심도 옅어진다. 부끄러워하거나 참지 말고 마음이 이끄는 대로 마치 어린아이들처럼 싱글벙글 웃어라." 《차라투스트라는 이렇게 말했다》

중년에는 삶의 작은 순간들에서 큰 기쁨을 찾는 데 중점을 두어 내적 평화를 이루어 나가는 여정에 들어갑니다. 니체는 중년에게 내면의 평화를 찾고, 작은 기쁨들을 크게 여겨 삶의 풍요로움을 체험을 강조합니다.

중년에는 자신의 내면의 안정과 풍요로움을 찾는 여정에 초점을 맞춥니다. 이는 작은 기쁨들을 크게 여기고, 마음이 가벼워지며 어린 아이처럼 싱글벙글 웃음 속에서 삶을 즐기는 데에 주목합니다.

첫 번째로, 니체는 중년에게 작은 일에도 크게 기뻐하는 습관을 키우는 것이 내적 안정과 평화를 찾는 첫걸음이라고 강조합니다. 작은 기쁨을 놓치지 않고 감사의 마음을 갖는 것은 삶을 더 풍요롭게 만들어줍니다.

두 번째로, 마음을 어지럽히는 잡념을 잊고, 부정적인 감정들을 옅게 만들기 위해 항상 기쁨을 찾아가는 노력의 중요성에 주목합니다. 중년에는 삶의 복잡성 속에서도 내적 안정을 유지하며 긍정적인 에너지를 유지하는 것이 핵심입니다.

세 번째로, 니체는 중년에게 어린 아이처럼 싱글벙글 웃음을 지속해서 찾아내어 삶을 밝게 만들어가는 중요성을 강조합니다. 작은 기쁨들을 크게 여기며, 삶의 고난과 도전에 대해 유연하게 대처할 수 있는 미소와 긍정적인 마음가짐은 중년의 삶을 풍요롭게 만듭니다.

니체는 중년에게 작은 기쁨을 놓치지 않고, 미소를 잃지 않으며 내면의 평화를 유지하는 방법을 탐험하라는 메시지를 전합니다. 작은 순간들을 크게 여기며, 삶의 각 단계에서 풍요로움과 기쁨을 찾아가는 중년의 여정은 더욱 의미 있고 풍성한 삶을 이루어 나가게 됩니다.

Nietzsche Insight

1. 내적 안정과 긍정적 에너지 유지

중년에게 더 크게 항상 기뻐하는 것은 내적 안정과 긍정적 에너지를 유지하는 데 중요하다. 삶은 여러 어려움과 도전으로 가득하며, 작은 기쁨을 크게 기뻐하면 마음의 안정을 찾을 수 있다.

2. 타인과의 관계 개선과 소통 강화

니체의 말처럼 기쁨을 나누는 것은 타인과의 관계를 개선하고 소통을 강화하는데 도움이 된다. 중년은 작은 일에 크게 기뻐함으로써 다른 이들과의 긍정적인 연결을 형성할 수 있다. 이는 혐오감이나 증오심을 줄이고, 서로에게 더욱 이해와 지지를 제공하는 계기가 된다.

3. 순간적인 즐거움과 삶의 의미 찾기

작은 일에 크게 기뻐하면서 중년은 순간적인 즐거움을 경험하며, 이를 통해 삶의 의미를 찾을 수 있다. 삶의 일상에서 작은 즐거움을 찾는 것은 중년이 현재의 순간을 즐기고, 지루함과 감정적인 부담을 줄이며 더욱 의미 있는 삶을 살아갈 수 있게 해준다.

삶의 모순을 인정하라

Nietzsche
“가장 현명한 인간은 누구인가 모순을 가장 풍부히 갖는 자, 모든 종류에 대해 촉각기관을 갖는 자다. 그리고 때때로 장엄한 화음을 이루는 위대한 순간을 경험하는 자다.”
《유고(1884년 여름~가을》

니체는 “가장 현명한 인간은 누구인가? 모순을 가장 풍부히 갖는 자, 모든 종류에 대해 촉각기관을 갖는 자다. 그리고 때때로 장엄한 화음을 이루는 위대한 순간을 경험하는 자다.”라고 말했습니다. 이 말은 바로 중년의 우리에게 더 깊은 의미를 부여합니다. 중년은 삶의 모순을 마주하고 이를 인정하는 과정에서 진정한 현명함을 얻는 시기로, 이를 통해 위대한 순간을 경험하는 소중한 기회를 제공합니다.

삶은 모순의 연속입니다. 성공과 실패, 기쁨과 슬픔, 사랑과 이별 - 이 모든 것은 우리의 삶을 빛나게 하기 위한 필연적인 모순입니다. 중년에 이르러 우리는 지난 시간 동안 겪은 다양한 경험을 통해 이 모순을 자세히 살펴보게 됩니다. 그리고 이러한 경험들은 우리에게 삶의 본질에 대한 깊은 이해를 선사합니다.

삶의 모순을 인정하는 것은 결코 쉽지 않습니다. 우리는 자연히 편견과 편협한 시선으로 세상을 보려는 경향이 있습니다. 그러나 중년은 이러한 편견들을 깨는 시간이기도 하다. 모순을 부정하지 않고 오히려 받아들인다면, 우리는 자신의 한계를 뛰어넘고 새로운 가능성을 찾아 나갈 수 있습니다.

중년은 또한 모든 종류에 대한 촉각기관을 키우는 시기입니다. 삶의 다양한 영역에서 나타나는 모순들은 우리에게 민감성을 부여합니다. 이를 통해 우리는 주변의 인간관계, 직업, 가치관 등 다양한 영역에서 발생하는 모순을 민감하게 감지하고 이해할 수 있습니다. 그 결과로 우리는 더 나은 의사결정을 내리고 삶의 여러 측면에서 더 풍요로운 경험을 쌓아 나갈 수 있습니다.

때로는 모순들이 우리를 괴롭히고 힘들게 만들 수 있습니다. 그러나 니체는 "때때로 장엄한 화음을 이루는 위대한 순간을 경험하는 자"라고 했습니다. 이는 모순의 중간에서 비로소 발견되는 창조적이고 아름다운 순간들을 의미합니다. 중년에 이르러 우리는 지난 경험을 토대로 새로운 화음을 찾아내고, 삶의 진정한 가치를 발견하게 됩니다.

결국, 중년을 위한 삶의 모순을 인정하라는 것은 자신과 세계와의 관계에서 오는 복잡한 실체를 받아들이고 이를 통해 성장하고 발전하는 과정을 의미합니다. 이는 모순을 두려워하지 않고 오히려 그 안에서 새로운 가능성을 찾아 나가는 용기를 의미합니다.

Nietzsche Insight

1. 성장과 깨달음을 통한 자기 이해의 폭넓은 확장

중년은 모순을 통해 우리는 자기 자신에 대한 새로운 측면을 발견하며, 이를 통해 더 나은 인간으로 성장하는 기회를 마련한다. 중년은 과거의 행동과 선택에 대한 깨달음을 얻으며, 새로운 목표를 세우고 미래를 준비한다.

2. 타인과의 관계에서 더 깊은 이해와 연결의 가능성

모순을 인정하면 타인의 다양한 의견과 감정을 더욱 수용하게 되며, 상대방의 관점을 더 깊이 이해할 수 있다. 이는 강화된 대인 관계를 통해 더 풍요로운 삶을 창출하는 기회를 제공한다.

3. 창의성과 화음으로 이어지는 새로운 가능성의 열림

모순은 종종 예상치 못한 조합과 대립을 초래하는데, 이는 창의성의 발전을 촉진한다. 중년의 우리는 삶의 모순을 재구성하고, 그 안에서 새로운 아이디어와 화음을 찾아내는 능력을 갖추게 된다.

삶의 에너지의 원천은 자신이다

•
•
•

Nietzsche
"나를 풍요롭게 해줄 대상을 찾지 말고, 나 스스로가 풍요로운 사람이 되려고 항상 노력해야 한다. 이것이 바로 자기의 능력을 높이는 최선의 방법이자 풍요로운 인생을 만드는 지름길이다."《즐거운 학문》

니체는 "나를 풍요롭게 해줄 대상을 찾지 말고, 나 스스로가 풍요로운 사람이 되려고 항상 노력해야 한다. 이것이 바로 자기의 능력을 높이는 최선의 방법이자 풍요로운 인생을 만드는 지름길이다."라고 말했습니다.

니체의 이 말은 우리에게 매우 중요한 교훈을 줍니다. 중년을 맞은 우리는 이미 많은 경험과 지식을 쌓았고, 성장과 성취를 통해 얻은 자신감이 있습니다. 하지만 중년에 이르면서 혹은 노년에 다가서면서 자신을 풍요롭게 해줄 대상을 찾는 경향이 생기곤 합니다. 우리는 자신의 행복과 만족을 다른 사람이나 외부의 환경에 의존하는 경향이 있는데, 이는 잘못된 생각입니다.

중년을 맞은 우리에겐 이미 풍요로움과 에너지를 찾을 수 있는 모든 것이 내재되어 있다는 것을 기억해야 합니다. 자신의 내면을 탐구하고 개발함으로써 자원을 발견하고 활용할 수 있는 능력을 갖출 수 있습니다. 우리는 자신의 열정과 관심사를 찾고, 그것에 전념하면서 삶을 풍요롭게 만들 수 있습니다. 이는 우리가 정말로 원하는 방향으로 진정한 행복과 만족을 찾을 수 있는 지름길이 됩니다.

자신에게서 풍요로움을 찾는 것은 자기 자신을 발견하는 것과도 밀접한 관련이 있습니다. 중년에 이르러서는 누구나 자신의 삶과 가치를 다시 평가하는 시기입니다. 이때 자신의 내면과 진정한 소망을 찾아가며 자기 자신을 발견하는 여정을 시작할 수 있습니다. 이는 자기 자신을 향한 존중과 애정을 통해 자신을 풍요로운 사람으로 만들어 가는 과정입니다.

중년을 맞은 우리에게 있어 자신에게서 풍요로움과 에너

지를 찾는 것은 매우 중요한 과제입니다. 이를 통해 우리는 자기 내면을 탐구하고 개발하며, 자원을 발견하고 활용하는 능력을 키울 수 있습니다. 자신에게서 풍요로움을 찾는 것은 자기 자신을 발견하는 것과도 연결되어 있습니다. 중년에 자기 삶과 가치를 다시 평가하며 자기 자신을 발견하는 여정을 시작할 수 있습니다. 이는 자기 자신을 향한 존중과 애정을 통해 자신을 풍요로운 사람으로 만들어 가는 지름길입니다.

Nietzsche Insight

1. 내면의 안정과 평화를 통한 삶의 풍요로움

중년에게 삶의 에너지는 자신에게서 찾는 것은 내면의 안정과 평화를 찾는 첫걸음이다. 외부의 대상이나 환경에 의존하지 않고 내면에서 자신의 에너지원을 찾는 것은 정서적인 안정을 이끌어 내고 내적인 만족감을 준다.

2. 자기계발과 성장을 통한 전문성과 자신감 향상

중년은 자기계발과 성장이 더욱 중요한 시기로, 자기에게 충분한 에너지를 투자함으로써 전문성을 높이고, 자신감을 증진할 수 있다. 이는 새로운 도전과 경험을 통해 중년의 삶을 더욱 풍요롭게 만들어준다.

3. 삶의 목표와 가치에 따른 의미 있는 삶의 찾아가기

중년에는 외부적인 성공이나 타인의 평가에만 의존하지 않고, 자신이 소중히 여기는 가치와 목표에 따라 삶을 살아가는 것이 중요하다. 이를 통해 중년의 우리는 자아의 심오한 부분을 탐험하며 내적인 풍요로움을 실현할 수 있다.

몇 번이든 다시 시작하라

•
•
•

Nietzsche
"나 자신에게 던지는 '왜?'라는 물음에 분명하게 답을 내놓을 수 있다면 그다음은 아주 간단해진다. 어떻게 해야 할지 금세 알 수 있기 때문에 타인을 흉내 내면서 헛되이 세월을 보내지 않아도 된다. 이미 나의 길이 명료하게 보이기에 이제 남은 일은 그 길을 걸어가는 것뿐이다."《우상의 황혼》

니체는 "나 자신에게 던지는 '왜?'라는 물음에 분명하게 답을 내놓을 수 있다면 그다음은 아주 간단해집니다. 어떻게 해야 할지 금세 알 수 있기 때문에 타인을 흉내 내면서 헛되이 세월을 보내지 않아도 됩니다. 이미 나의 길이 명료하게 보이기에 이제 남은 일은 그 길을 걸어가는 것뿐이다."라고 말했습니다.

니체의 말은 우리에게 많은 용기와 힌트를 제공합니다. 중년에도 삶을 다시 시작하는 용기를 가지는 것은 매우 중요합니다. 우리는 누구나 삶 속에서 지나친 경험, 실패, 자기 희생에 의해서 좌절과 방황을 경험하기도 합니다. 하지만 이것이 우리에게 멈추지 말고 다시 일어나고 새로운 시작을 할 용기를 부여할 수도 있습니다.

우리가 자신에게 '왜?'라는 질문을 던지고 분명한 답을 찾는다면, 우리는 이미 다시 시작하기 위한 첫길음을 내딛은 것입니다. 이것은 자신의 가치, 목표, 열정을 다시 확인하고, 그것에 대한 명료한 이유를 찾는 과정입니다. 이 과정으로 우리는 어떻게 해야 할지에 대한 방향성을 빠르게 알아낼 수 있습니다. 그리고 그 길을 걸어가기 위한 목표와 계획을 세울 수 있습니다.

중년은 이미 축적된 지식, 경험, 성취가 있다. 이들은 우리의 재산으로 활용됩니다. 우리가 중년에 이르렀다는 것은 아직 많은 가능성과 기회가 우리를 기다리고 있다는 것을 의미합니다. 우리는 우리의 역량과 잠재력을 발휘하여 다시 시작할 용기를 가져야 합니다. 이는 새로운 일에 도전하거나 현재의 삶을 개선하고 발전시킬 수 있는 최고의 기회입니다.

중년에게 "몇 번이든 다시 시작하는 용기"는 매우 중요한 가치를 지니고 있습니다. 니체가 말했듯, 나 자신에게 '왜?'라는 물음에 분명한 답을 찾으면, 우리는 이미 새로운 시작을 위한 첫걸음을 내딛는 것입니다. 중년에 이르러도 멈추지 말고 일어나고 새로운 목표를 세우는 용기를 가져야 합니다.

Nietzsche Insight

1. 새로운 목표에 대한 열린 마음과 흥미

'왜?'라는 물음에 답하는 과정에서 중년은 자신에게 새로운 목표와 의미를 찾을 수 있다. 이는 과거의 경험을 바탕으로 현재의 욕망과 흥미를 연결하며, 몇 번이든 다시 시작함으로써 성취와 만족을 얻는 기회로 작용한다.

2. 자아를 찾고 강화하는 과정

다시 시작함에 있어서 '왜?'라는 질문에 대답함은 자아를 찾고 이를 강화하는 과정이다. 중년은 자신이 무엇을 원하고 가치 있게 여기는지에 대한 명확한 이해를 통해 자신의 독립성과 자존감을 증진할 수 있다.

3. 긍정적인 변화와 성장을 향한 도전적 태도

'왜?'에 대한 답을 통해 중년은 미래에 대한 긍정적인 변화와 성장을 위한 도전적인 태도를 취한다. 몇 번이든 다시 시작함으로써 자신의 능력과 가능성에 도전하며, 새로운 경험을 통해 더 나은 삶을 만들어 나갈 수 있는 동기부여를 얻을 수 있다.

작은 강이 아닌 큰 강으로 살아가라

•
•
•

Nietzsche
"위대함이란 방향을 제시하는 것이다. 어떤 강물도 스스로 커지거나 풍부해지지 않는다. 오히려 아주 많은 지류를 받아들이며 계속 흘러가는 것, 그것이 강물을 크고 풍부하게 만든다. 모든 정신의 위대함 역시 마찬가지다."《인간적인 너무나 인간적인 I》

니체가 말하는 '위대함'은 우리에게 많은 영감을 줍니다. 그는 "위대함이란 방향을 제시하는 것이다. 어떤 강물도 스스로 커지거나 풍부해지지 않는다. 오히려 아주 많은 지류를 받아들이며 계속 흘러가는 것, 그것이 강물을 크고 풍부하게 만든다."라고 말했습니다.

중년에 많은 사람들은 작은 강에서 흘러가는 듯한 느낌

을 받을 수 있습니다. 우리는 이미 성취하고 경험한 것들에 안주하여 더 이상 큰 변화나 성장을 경험하지 않는다고 생각할 수 있습니다. 하지만 니체의 말처럼, 우리가 마치 작은 강처럼 흘러가는 것은 조금 더 수용하고 학습하는 자세를 취하지 않기 때문입니다. 그렇기에 중년을 위한 방향을 제시받고, 큰 강으로 변화하기 위한 노력과 용기가 필요합니다.

우리는 중년에도 계속해서 새로운 도전과 학습을 통해 성장할 수 있습니다. 우리는 젊을 때와는 달리 다양한 지류와 경험을 받아들일 수 있기에, 그것을 통해 우리 자신의 지식과 역량을 풍부하게 만들 수 있습니다. 중년에는 많은 삶의 경험과 성취가 축적되어 있으며, 이를 기반으로 한 믿음과 자신감을 갖기에 더욱 적절하다. 이를 통해 우리는 큰 강으로 변화를 이룰 수 있습니다.

중년에 변화를 추구한다는 것은 자신에게 적극적으로 도전하고, 새로운 지식과 기술을 습득하며, 목표와 꿈을 이루기 위해 노력하는 것을 의미합니다. 이는 자신의 역량과 잠재력을 최대한 발휘하기 위한 행동입니다. 우리는 중년에 이르러도 여전히 위대한 성취와 가치를 창출할 수 있습니다. 중년은 우리에게 새로운 시작과 가능성이 넘치는 순간이며, 이를 통해 우리는 작은 강이 아닌, 큰 강으로 살아갈 수 있습니다.

니체의 '위대함'의 이야기는 중년을 위한 매우 중요한 가르침을 줍니다. 우리가 작은 강처럼 안주하고 있을 때, 그것은 더 큰 변화와 성장을 경험하고자 하는 욕구가 부족할 때 생깁니다. 중년에 이르러서도 우리는 큰 강으로 변화하기 위한 용기와 노력을 가져야 합니다. 우리는 계속해서 새로운 도전과 학습을 통해 성장할 수 있습니다. 중년은 새로운 시작과 가능성이 넘치는 순간이기 때문에, 작은 강이 아닌 큰 강으로 살아가기 위해 자신을 이끌어 나가야 합니다. 그렇게 될 때 우리는 위대함을 경험하고 성취를 이룰 수 있습니다.

Nietzsche Insight

1. 깊이 있는 삶의 의미

니체는 중년에게 작은 강이 아닌 큰 강으로 살아가는 것이 중요하다는 깊은 삶의 의미를 제시한다. 작은 강은 한정된 경험과 좁은 시야일 수 있지만, 큰 강으로 나아가면 더 다양하고 풍부한 경험과 폭넓은 시야를 얻을 수 있다.

2. 성장과 발전을 통한 풍요로움

큰 강은 다양한 지류를 받아들이며 계속해서 흘러가는 것으로 나타난다. 중년에게 있어 작은 강에서 벗어나 큰 강으로 나아가는 것은 개인적인 성장과 발전을 의미한다. 새로운 도전과 경험을 통해 자아를 발전시키고 더 풍요로운 인생을 살아갈 수 있다.

3. 타인과의 연결과 공동체의 중요성

강물이 크고 풍부해지려면 다양한 지류들과 연결되어야 한다. 중년은 타인과의 연결과 공동체 참여를 통해 더 큰 강으로 발전할 수 있다. 서로 다른 사람들과 소통하며 협력하면서 자기 삶에 더 많은 의미와 풍요를 불러올 수 있다.

지금 이 순간을 살아라

•
•
•

Nietzsche
"그대들은 아직 본 적이 없는가? 돛이 둥글게 부풀어 거센 바람에 펄럭거리면서 바다를 건너가는 것을. 그 돛처럼 정신의 거센 바람에 펄럭이면서, 나의 지혜는 바다를 건너간다." 《차라투스트라는 이렇게 말했다》

우리는 니체의 말처럼 삶의 바다를 건너가는 돛처럼 존재합니다. 펄럭이는 돛은 거센 바람에 맞춰 바다를 향해 나아가듯, 우리의 삶도 정신의 바람에 펄럭이며 앞으로 나아가고 있습니다. 특히 중년에 이르러서야 이 돛을 펼치고 현재의 순간을 살아가는 것이 그 어느 때보다 중요합니다.

중년은 종종 과거의 풍경과 미래의 풍차에 마음이 쏠릴

때가 많습니다. 하지만 니체의 말처럼 우리의 돛은 지금의 순간을 향해 부풀려져 있어야 합니다. 과거의 풍경은 이미 지나간 것이고, 미래의 풍차는 아직 오지 않았습니다. 중년의 우리는 현재의 순간에 집중하고, 지금 이 순간을 충실히 살아가야 합니다. 과거의 그림자와 미래의 걱정에서 벗어나, 현재에 몰두함으로써 삶의 풍요로움을 찾아가야 합니다.

삶의 돛은 정신의 바람에 펄럭이면서 나아가는 것입니다. 중년의 우리는 과거의 경험과 지혜를 바탕으로 정신의 바람을 더욱 효과적으로 활용할 수 있습니다. 현재의 순간을 살아가는 것은 과거의 실수와 후회에 머물지 않고, 앞으로 나아가는 방향을 찾아야 합니다. 정신의 바람을 향해 성찰하고 성장함으로써, 중년은 더 깊이 풍요로운 내면 세계를 개척할 수 있습니다.

지금 이 순간을 살아가는 것은 현실의 파도를 타고 풍요로움의 해로 향하는 것입니다. 중년의 우리는 삶의 파도와 상황에 맞춰 돛을 세워 나아가야 합니다. 그리고 현재의 순간을 최대한 경험하며, 감사하게 여길 수 있는 풍요로움을 찾아갈 수 있습니다. 삶의 갈등과 어려움을 극복하며, 현재의 순간을 향한 우리의 여정은 결국 풍요로움의 해로 이끌어 줍니다.

니체의 돛에 비유된 말은 우리의 삶이 얼마나 역동적이고 풍요로운지를 알려줍니다. 중년은 정신의 바람을 향해 돛을 치고, 현실의 파도를 타고, 현재의 순간을 살아가며 더 깊이 풍요로운 내면세계를 찾아 나가야 합니다. 이러한 여정이 우리에게 새로운 의미와 풍요로움을 안겨주게 됩니다.

Nietzsche Insight

1. 자아의 발견과 성장

니체는 이 순간을 살아가는 중년에게 자아의 발견과 성장이 왜 중요한지 알려준다. 정신의 거센 바람에 펄럭이며 바다를 건너가는 돛처럼, 중년은 내적 세계를 탐험하고 성장하는 여정을 통해 더 풍요로운 삶을 찾아갈 수 있다.

2. 현재의 의미와 가치

니체는 돛이 바람에 펄럭이면서 바다를 건너가는 순간의 중요성을 강조한다. 중년에게는 현재의 순간을 소중히 여기고, 지금의 순간이 삶에 어떤 의미와 가치를 지니는지 깊이 생각해 보는 것이 중요하다.

3. 미래의 가능성과 모험

니체의 말은 돛이 바람에 부풀려 바다를 건너가는 것이 미래로 향한 모험과 가능성을 의미한다. 중년은 이미 쌓아온 경험과 지혜를 바탕으로 더 큰 도전과 모험을 향해 나아가는 기회가 있는데, 이를 통해 미래의 가능성을 열어가며, 이 순간을 살아가는 것이 중요하다는 메시지를 전한다.